新装版

＼ ソーイングがぜんぶわかる！ ／

きほんのミシン レッスンBOOK

監修＊添田有

JN050104

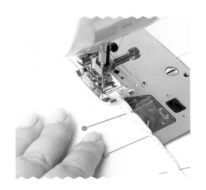

Gakken

はじめに

東京の代官山で、2006年にオープンした手芸店「メルチェリア プルチーナ」。
ここで、初心者のためのソーイングレッスンを開いています。

お店には、リバティプリントやソレイアードなどの生地のほか
イタリアなどで買いつけてきたヨーロッパの生地、
チロリアンテープにボタンといったかわいい手芸小物……。
眺めているだけでもワクワクするものばかりを並べています。

「かわいい！　自分で縫えたらなあ……」

そんなお客さまの声から始まった、プルチーナのレッスン。
美しく、丈夫な仕立てに必要な「ここだけは」というミシンの基礎とポイントをしっかり守り、
簡単にできるところは手間をかけず、楽しみながら作品を完成させます。

ミシンを目の前にして、不安そうな顔をしていたお客さまも、
でき上がると、ほんとうにうれしそうな笑顔！

この本でも、初心者の方が不安に思うミシンの使い方や縫い方をはじめ、
バッグや服といった作品を作るときに、
つまずきがちなポイントを詳しく説明しています。

最初からページを追って読む必要はありません。
知りたいテクニックや気になるページを見ながら、まずはミシンで縫ってみましょう。

お気に入りの生地が、自分の「とっておき」に変わる楽しさを
ぜひ体験してください。

添田有美

contents

Part3
よくわかるミシンテクニック

Part4
ミシンで作ってみよう

※本書では株式会社ハッピージャパンの〈モナミ『ヌウ プラス』／ SC200〉を使って説明しています。
機種によって扱い方が違うので、お使いのミシンの取扱説明書に従ってください。

Part1
ミシンのきほん

ミシン縫いをする前に知っておきたい、
ミシンの使い方と準備について解説します。
実際に縫う前に「試し縫い」をして、ミシンに慣れてから
ソーイング生活をスタートさせましょう。

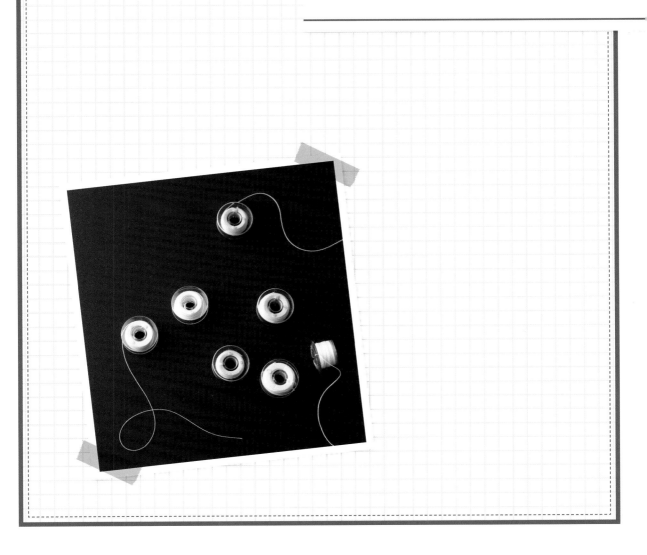

家庭用コンピュータミシン

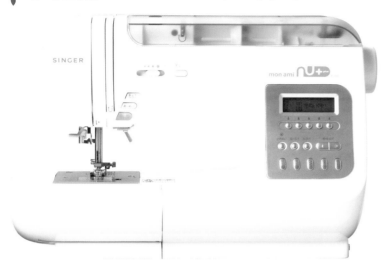

コンピュータを内蔵した多機能なミシン。針の上下運動や糸調子、縫い目の調整などをコンピュータで制御しています。縫い模様(ステッチ)の種類が多かったり、自動糸切りなどのサポート機能がついていたりすることが多く、便利です。

こんな人におすすめ

＊初心者だが、縫い目を安定させたい
＊厚地などいろいろな素材で作品を作りたい

家庭用電子ミシン

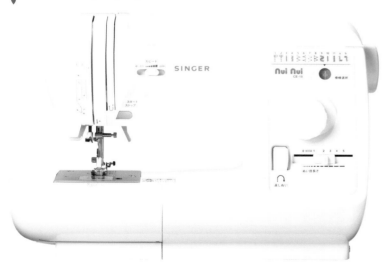

糸調子や模様選択をダイヤルつまみなどで調整するミシン。電子制御されているため、旧来の「電動ミシン」に比べ、縫い目が狂いにくく、低速時のパワーもあります。コンピュータミシンよりも割安です。

こんな人におすすめ

＊普通地のシンプルなデザインの洋服や小物を作りたい
＊手軽にミシンを楽しみたい

その他のミシン

● 職業用ミシン……直線縫い専用のミシン。縫い目が美しく、家庭用ミシンよりパワーがある。
● ロックミシン……縁かがりとニット縫い用のミシン。既製服の布端はこのミシンで始末されている。

選び方

ミシンを選ぶとき、あると便利な機能や仕組みについて紹介します。

Check1

水平釜かどうか

ミシンには、下糸を巻いたボビンをセットする場所が水平な「水平釜」(写真)と、垂直な「垂直釜」の2種類あります。家庭用ミシンは、ボビンケースが内蔵されていてセットが簡単な「水平釜」が一般的です。

ボビンの形状にも注意

糸の色を変えるときは、下糸も同様に替えます。下糸を巻くボビンの形状は機種によって違うので、スペアを買うときは注意して。

Check2

ジグザグ縫いなどの機能があるか

布端の始末で必要な「ジグザグ縫い」(写真)、縫い始めと縫い終わりに行う「返し縫い」ができるか、縫い目の長さを調節できるかなども確認を。

Check3

フットコントローラーがついているか

踏み込み具合で、縫うスピードをコントロールできます。縫うときに両手で布を扱えるので便利。別売の付属品であることも。

ミシンの メンテナンス

ミシンのトラブルの多くは、釜や送り歯の周りに糸くずやほこりがたまっていることが原因。使用後は付属のブラシで掃除をしましょう。必ず電源スイッチを切り、コンセントを抜いた状態で行ってください。

ミシンの構造と名称

ミシンにはどんなパーツがあってどういう働きをするのか、各部の名称とあわせて確認しておきましょう。
※本書では株式会社ハッピージャパンの〈モナミ『ヌウ プラス』／SC200〉を使って説明しています。機種によって名称やパーツの位置は異なります。

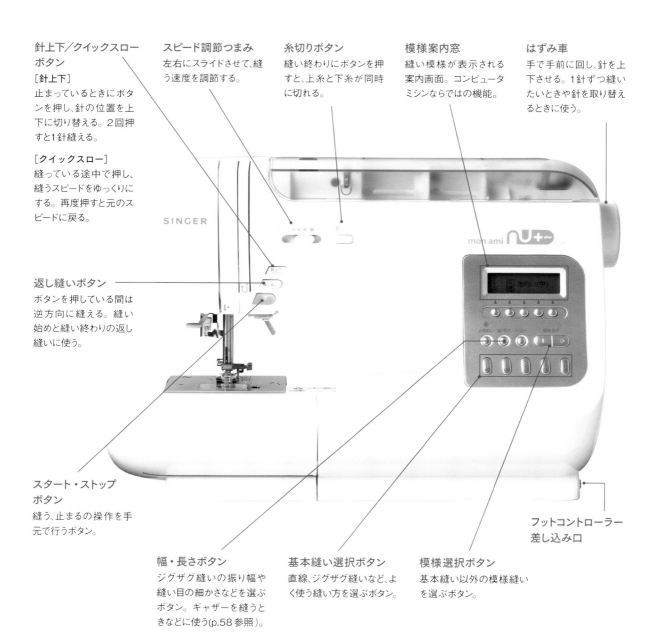

針上下／クイックスローボタン

［針上下］
止まっているときにボタンを押し、針の位置を上下に切り替える。2回押すと1針縫える。

［クイックスロー］
縫っている途中で押し、縫うスピードをゆっくりにする。再度押すと元のスピードに戻る。

スピード調節つまみ
左右にスライドさせて、縫う速度を調節する。

糸切りボタン
縫い終わりにボタンを押すと、上糸と下糸が同時に切れる。

模様案内窓
縫い模様が表示される案内画面。コンピュータミシンならではの機能。

はずみ車
手で手前に回し、針を上下させる。1針ずつ縫いたいときや針を取り替えるときに使う。

返し縫いボタン
ボタンを押している間は逆方向に縫える。縫い始めと縫い終わりの返し縫いに使う。

スタート・ストップボタン
縫う、止まるの操作を手元で行うボタン。

幅・長さボタン
ジグザグ縫いの振り幅や縫い目の細かさなどを選ぶボタン。ギャザーを縫うときなどに使う(p.58参照)。

基本縫い選択ボタン
直線、ジグザグ縫いなど、よく使う縫い方を選ぶボタン。

模様選択ボタン
基本縫い以外の模様縫いを選ぶボタン。

フットコントローラー差し込み口

[ミシン上部]

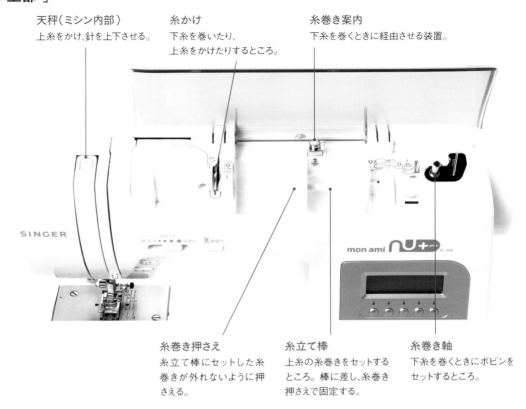

天秤（ミシン内部）
上糸をかけ、針を上下させる。

糸かけ
下糸を巻いたり、上糸をかけたりするところ。

糸巻き案内
下糸を巻くときに経由させる装置。

糸巻き押さえ
糸立て棒にセットした糸巻きが外れないように押さえる。

糸立て棒
上糸の糸巻きをセットするところ。棒に差し、糸巻き押さえで固定する。

糸巻き軸
下糸を巻くときにボビンをセットするところ。

[針まわり]

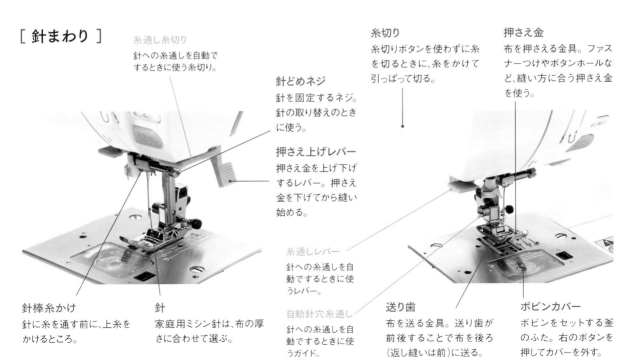

糸通し糸切り
針への糸通しを自動でするときに使う糸切り。

糸切り
糸切りボタンを使わずに糸を切るときに、糸をかけて引っぱって切る。

押さえ金
布を押さえる金具。ファスナーつけやボタンホールなど、縫い方に合う押さえ金を使う。

針どめネジ
針を固定するネジ。針の取り替えのときに使う。

押さえ上げレバー
押さえ金を上げ下げするレバー。押さえ金を下げてから縫い始める。

糸通しレバー
針への糸通しを自動でするときに使うレバー。

針棒糸かけ
針に糸を通す前に、上糸をかけるところ。

針
家庭用ミシン針は、布の厚さに合わせて選ぶ。

自動針穴糸通し
針への糸通しを自動でするときに使うガイド。

送り歯
布を送る金具。送り歯が前後することで布を後ろ（返し縫いは前）に送る。

ボビンカバー
ボビンをセットする釜のふた。右のボタンを押してカバーを外す。

必要な材料と用具

ソーイングにはさまざまな用具がありますが、
基本的なものがあれば大丈夫。
必要なものをまずそろえましょう。

ミシン針とミシン糸

ミシン縫いでまず必要なのが、針と糸。どちらも布の厚さに合わせて太さを選びます。
ミシン針はミシンに付属品としてついていて、番手が大きくなるごとに太い針になります。
ミシン糸は強度があって縫いやすいポリエステル糸（スパン糸）がおすすめです。
糸は番手が大きくなるごとに細くなります。

ミシン針。左から
9番、11番、14番。

［ 薄地 ］

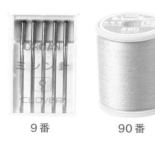

9番　　　　90番

綿ローン、薄ガーゼ、シフォンなどの
薄地用。

［ 普通地 ］

11番　　　　60番

シーチング、ブロードなど、ブラウス程度
の厚さの布地からキルティング地まで。

［ 厚地 ］

14番（または16番）　　30番

デニム、帆布、タオル地などの厚地用。

ボビン

下糸を巻く糸巻きのことをボビンといい、
ミシンに付属品としてついています。
ミシンの機種によって形状が違うので、
予備や新たに購入する際は仕様を確認しましょう。

ミシン縫いのときに手元に用意するもの

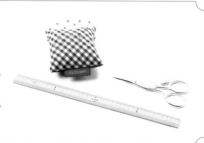

● ピンクッション……まち針を抜きながら縫うので、抜いた針をすぐ刺せるように。
● 糸切りばさみ……縫い始めや縫い終わりの糸、ほつれ糸をカット。
● 定規……縫い幅を確認するときに。小さめの定規（ゼロスタート目盛り）を用意。

基本の用具

布に印をつける、切る、仮どめするなど、主にミシン縫いの前に使います。
アイロンはきれいに仕上げるための必需品です。

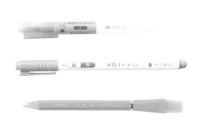

チャコペン・チャコペンシル
布に印をつけるときに使う。水で消せるタイプ、時間がたつと消えるタイプなどいろいろな種類がある水性チャコペンと、水を含んだ布で拭き取るペンシルタイプなどがある。
水性チャコペン、チャコペル[共にクロバー]

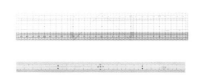

定規
寸法を測ったり、線を引いたりするときに使う。5mm、1cmの方眼が入った方眼定規は縫い代の平行線がとりやすいのでおすすめ。
方眼定規[クロバー]

アイロン
スチーム機能がついたアイロンを用意。布に折り目をつけたり、縫い代を押さえたりするときはドライを、仕上げや地直し（p.27参照）にはスチームを使う。

裁ちばさみ
布切り専用のはさみ。持ちやすく自分の手に合ったサイズを選ぶ。全長24～26cmくらいが一般的。
布切はさみ「ブラック」24cm [クロバー]

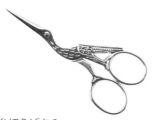

糸切りばさみ
糸を切ったり、細かい部分の作業に使うはさみ。切れ味のよいものを。

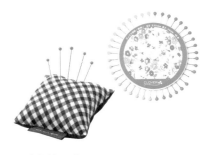

まち針・ピンクッション
布の仮どめに使う。アイロンを当てても溶けないよう、まち針の頭が耐熱性のものを。まち針を刺しておくピンクッションもあわせて用意。
ディスク待針〈耐熱〉[クロバー]

型紙を使うときに必要な用具

本書に登場する作品にはほとんど型紙を使いませんが、
型紙のある作品を作るときに用意するものを紹介します。

ハトロン紙

型紙を写すときに使う。実物大
型紙に重ね、筆記用具で写し取
る。小物ならトレーシングペー
パーなどで代用可。
ハトロン紙〈ロールタイプ〉[クロバー]

筆記用具

型紙を写し取るときに使
う、鉛筆やシャープペン
シルと消しゴム。

クラフト用はさみ

型紙を切るときには、紙切り用のはさみ
を使う。裁ちばさみで代用すると刃が
傷むので、紙専用のものを用意。

チャコペーパー

型紙を布に写すときに使う複写紙。型
紙と布の間に挟んでルレットで印をつ
ける。2枚の布の間に両面チャコペー
パーを挟めば、2枚同時に印つけがで
きる。

ルレット

型紙を布に写すときにチャコペーパー
と一緒に使う。歯車を転がして型紙を
なぞり、印をつける。布や紙を傷めにく
い、刃先の丸いタイプがおすすめ。
Nソフトルレット[クロバー]

ミシン縫いの準備

ミシンは上糸と下糸の2本の糸をからませながら縫います。
まずは、使用するミシン糸をボビンに巻いて下糸の準備から。

布に合った針と糸を選ぶ		下糸をセット		上糸をセット
●布の厚さに合った針と糸を用意する	→	●ボビンに下糸を巻く ●ボビンをミシンの釜にセットする	→	●上糸をミシンにかける ●上糸を針に通す ●下糸を引き出す

下糸を巻く

1 糸巻きを糸立て棒にセットする。

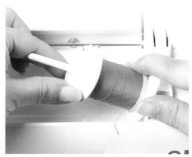

2 糸巻き押さえをつける。

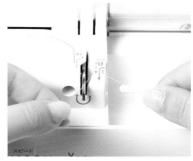

3 ミシンに表示してある順番で糸をかける。ここでは❶～❹のガイドに沿って、糸かけからボビンの穴にかける。

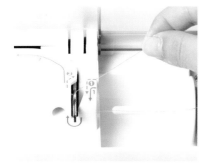

4 糸かけの下から糸をかけ、上に引き上げて右に引く。

5 糸巻き案内の下から、左回りにかける。

6 ボビンの穴の内側から外側に糸を通し、糸巻き軸に差し込む。

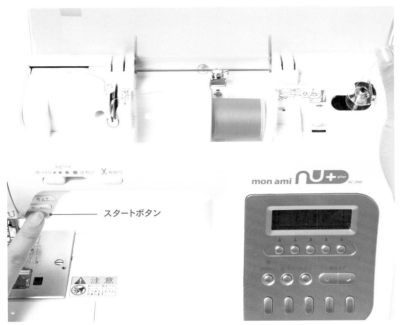

スタートボタン

8 少し巻いたら、いったんストップボタンを押して止め、ボビンの糸穴から出ている余分な糸端を切る。

7 ボビンを右側に押して、右手で糸端を持ちながらスタートボタンを押し、下糸巻きをスタートさせる。

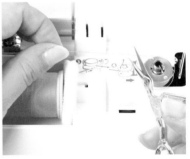

9 再度スタートボタンを押して下糸を巻く。必要な量を巻いたら、ストップボタンを押して糸を切る。糸巻き軸を左に戻し、ボビンを外す。

下糸をセットする

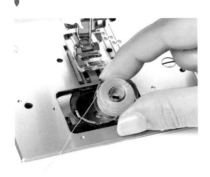

1 ボビンカバーを外し、ボビンの糸が左回りになる向きで入れる。

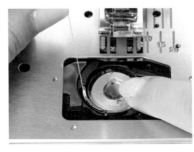

2 ボビンを押さえながら、取扱説明書の指示通りに糸を溝にかける。

3 糸を10cmくらい引き出し、ボビンカバーをつける。

上糸をかけて針に通す

1　押さえ上げレバーで押さえ金を上げ、針を上げる。

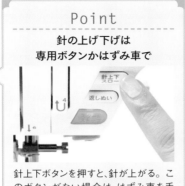

Point

針の上げ下げは
専用ボタンかはずみ車で

針上下ボタンを押すと、針が上がる。このボタンがない場合は、はずみ車を手前に回して針を上げる。

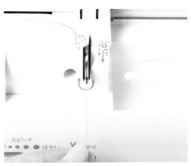

2　上糸の糸巻きを糸立て棒にセットし、糸巻き押さえをつける。ミシンに表示してある順番で糸をかける。

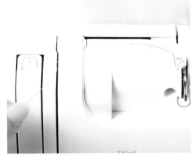

3　糸かけの下を通して上に引き上げ、ミシンに表示されている矢印に沿って左に引く。

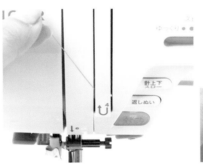

4　ミシンに表示してある順番で矢印に沿って糸をかけていく。右の写真は、ミシン内部の天秤に糸をかけているところ。

5　最後に針棒糸かけにかける。自動針穴糸通し機能を使う場合はp.18参照。

6　手前から奥に向かって、針穴に糸を通す。

7　上糸を針に通したところ。

17

糸通しを使うとき

ミシンに糸通し機能があれば、
針穴に糸を通す作業が1回で決まります。

1 上糸を針棒糸かけにかけたら、糸を10cmほど
手前に引き出し、押さえ上げレバーを下げる。

2 糸通しレバーを下げる。糸通しが下がってくる。

3 糸を糸通しにかけ、針穴近くの案内溝に入れ
て、フックにかける。

4 糸通し糸切りにかけて切る。

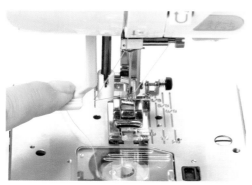

5 糸通しレバーをもう一度押し下げる。

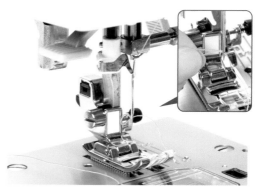

6 針穴に糸がループになって通るので、糸端を手
で引き出す。

下糸を引き出す

1 押さえ上げレバーで押さえ金を上げる。

2 上糸を軽く持ち、針上下ボタンを2回続けて押す。または、はずみ車を回して、針を1回下げてから上げる。

3 上糸を静かに引くと、下糸がループになって出てくる。

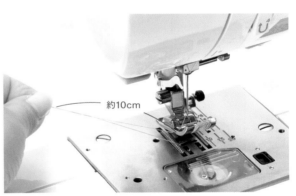

約10cm

4 下糸の端を引き出し、押さえ金の下から上糸と下糸をそろえて10cmくらい出す。

針の取り替え方　　針を取り替えるときは、必ず電源をオフにします。

1 電源スイッチを切り、はずみ車で針を上げ、押さえ金を下げる。

2 針を左手で持ち、針どめネジを付属のドライバーでゆるめ、針を外す。

3 針の平らな面を後ろにし、新しい針を差し込む。針どめネジを締める。

試し縫い

糸の準備ができたら、はぎれなどで試し縫いをしましょう。糸調子や縫い目の長さなどを確認します。
基本の縫い方はp.36から紹介しています。

縫い方

針の正面に体の中心がくるように、まっすぐ座って縫います。試し縫いは、作品に使用する布の余りを2枚重ねてするとよいでしょう。布がたわまないように、手で軽く押さえるのがポイント。

縫い目の種類

直線(5mm)

直線(2.5mm)

ジグザグ

主に使う縫い目は、直線とジグザグの2つ。縫い目の長さは普通の布であれば2～3mmに設定します。ギャザーを寄せるためのミシンをかけるときは5mm、細かく布を動かして縫うときは1～2mmなど、用途によっても使い分けます。

糸調子

糸調子とは、上糸と下糸の強さのバランスのこと。
バランスが悪ければ、取扱説明書を見て調整します。

○ **上糸と下糸のバランスがよい**

× **上糸の調子が強すぎる**

× **下糸の調子が強すぎる（上糸が弱い）**

裏

裏

裏

2枚の布の間で上糸と下糸がからんでおり、表裏で縫い目の状態が同じ。

上糸に引っぱられて、表側に下糸(青い糸)が目立つ。

下糸(青い糸)に引っぱられて、表側の上糸が浮いている。

Part2
布の準備

ソーイングの楽しみのひとつが布選び。

初心者でもミシン縫いしやすい布を覚えておきましょう。

縫う前の下準備となる、印つけと裁断、

まち針の打ち方などについてもここで確認を。

布には素材や織り方によってたくさんの種類があります。
同じ素材でも糸の太さや織り方によって名称が異なることも。
ここではミシンの初心者が縫いやすいものを紹介します。

扱いやすい布と布の特徴

薄地

巾着袋（p.106）で使用。

切り替えギャザースカート（p.120）
で使用。

綿ローン
薄く、しなやかな張りがある平織り
の綿布。高級感がある。

麻ボイル
亜麻繊維（リネン）で作られた織物
で、たて糸、よこ糸に強い撚り糸を用
いたもの。薄地でやや目が粗く、軽
い風合い。通気性と涼感がある。

普通地

ティーマット＆コースター（p.98）で
使用。

シーチング
織り地がブロードより粗い平織りの
綿布。服の仮縫い用素材やパッチ
ワークによく使われる。

ティーコゼー＆ポットマット（p.102）
の裏地で使用。

綿ブロード
織り地が密な平織りの綿布。表面
に繊細なよこ方向のうねがあり、や
わらかく光沢がある。

ティペット（p.117）の裏地で使用。

ネル
表面に短い毛羽の立った綿布。コッ
トン・フランネルとも呼ばれる。軽く、
やわらかい風合い。

コーデュロイ
毛羽がたて方向にうねになっている
織物。さまざまな厚さがあり、初心者
に扱いやすいのは薄手のもの。コー
ル天とも呼ばれる。

平織りとは　たて糸とよこ糸を交互に
交差させる織り方。

22

厚地

リネンのエコバッグ（p.114）で使用。

麻スラブ
スラブヤーンという節のある糸で織った、ラフな風合いの麻織物。シャリ感があり、丈夫。シワになりやすい。

キャンバス
丈夫な平織りの粗布。素材は亜麻糸、綿糸、絹糸やそれらの混織などいろいろな種類がある。

クラッチ＆ポーチ（p.109）で使用。

デニム
たて糸に染め糸、よこ糸に白糸を用いた綾織りの厚手の綿織物。裏側に白い糸が多く現れるのが特徴。初心者にはライトオンスデニムやソフトデニムなどが扱いやすい。

ツイード
太い羊毛（紡毛）で織った生地で、ふくらみのある織り目が特徴。写真は織り柄に特徴のあるヘリンボーンという杉綾織りのもの。

ティペット（p.117）で使用。

ウール
太い羊毛（紡毛）で織った生地。ざっくりとした温かみのある風合い。

ティーコゼー＆ポットマット（p.102）で使用。

キルティング
表布と裏布の間に綿などの芯を挟んで、ステッチをかけた生地。厚みはあるが、やわらかく縫いやすい。

帆布
綿や麻が素材の厚手の平織り布。太い糸で密に織られており、丈夫で手触りもかたい。糸の太さによって1号（厚い）〜11号（薄い）まである。

糸の選び方
基本的に布と同じ色の糸で縫いますが、同じ色がないときは同系色で少し濃いめの色を。柄布のときは分量の多い色を選びます。ベージュやグレーの糸はいろいろな布と相性がよいので、重宝します。

初心者が扱いにくい布

[薄地]

オーガンジーなど透けるように薄い布や、ツルツルとして光沢のあるサテンなどは、ミシン縫いの際にずれやすく、引きつれもしやすくなります。裁断時や印つけの段階でもずれやすいので、ソーイングやミシン縫いに慣れてきてからのほうが無難です。

サテン
光沢があり、ツルツルとしてなめらかな布。キズもできやすい。

シングルガーゼ
撚りの甘い糸を粗く織った、やわらかい布。ダブルガーゼなら縫いやすい。

シフォン
極薄で、透け感のあるやわらかい平織り布。オーガンジーよりやわらかい。

[素材の特殊な布]

ビニールコーティングされたラミネート地や毛足の長いファー素材などは、扱い方や縫い方に細かなコツがあります。失敗したときのリカバリーもしにくいので、注意しましょう。

ラミネート地
ビニールコーティングされた撥水性のよい布。ミシン縫いの際、押さえ金にくっつきやすく、布を送りにくい。穴跡が目立つので、まち針が打てないなど扱い方にも要注意。

ファー素材
毛足のついた布。毛足の方向をそろえて縫い合わせたり、長い毛足を裏で挟み込まないようにするなど、注意が必要。

印つけや裁断時に注意する布

総柄の布には上下のあるものもあります。購入する際に確認し、必要な用尺（布の長さ）を検討しましょう。印つけや裁断の際、上下を確認し、あらかじめ、でき上がりの柄の向きを考えて印つけをします。

ストライプやボーダーはもちろん、規則的に柄が描かれたプリント地も要注意。どちらが上かわからないときは、みみの文字を確認。綴りの頭のほうが上。ちなみに文字が読めるほうが表。

表面にたて方向のうね状のラインが入るコーデュロイ。仕上がったときに毛羽立ち、色に深みが出るよう、逆毛の向きで裁断する。

接着芯について

接着芯とは、布面に接着剤のついた芯地のこと。
布に張りをもたせたいときや
洗濯による型くずれを防ぐために、布に貼って使います。
いろいろな種類があるので、目的と布に合わせて選びます。

接着芯の種類と選び方

不織布タイプ 布目がないため、向きを気にせず使える。ややかための仕上がりで、布が伸びなくなる。

洋服には薄地を、バッグなどには厚手や特厚のものを選ぶ。

織り地タイプ ソフトな風合いに仕上がる平織りの接着芯。布目があるので、表地の布目の方向と合わせて貼ること。

透け感のある薄手の生地に使える接着芯。黒や紺の布には黒色のものを選ぶ。

一般的なコットン混紡の接着芯。同じ平織りの布と相性がよい。

接着芯の貼り方

1 布の裏側に、接着芯の接着剤がついたザラザラとした面（裏）を重ねる。

2 アイロンは中温でドライに設定し、当て布をして押し当てる。まんべんなく押し当てて接着する。

3 熱が冷めるまで、平らなままで動かさずに置いておく。

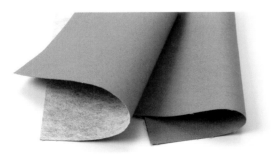

4 接着芯を貼った布（写真左）と、貼っていない布。厚みや張りが出ているのがわかる。

Memo　接着芯を貼る範囲と順序

基本的には縫い代を含めた布地に貼ります。薄手の布は接着芯を先に貼ってから裁断するほうが、線がずれにくいのでおすすめです。その場合は、接着芯に印つけをしておきましょう。

布に関する用語

布を扱ううえで、布地に関連する用語を理解しておくことが必須。聞いたことがある用語でも、その正確な意味を確認しておきましょう。

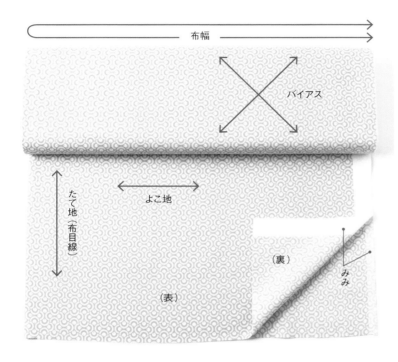

布幅

反物の布の端から端までの幅のこと。ギンガムチェックやシルクなどは90cm幅、一般的なプリント地などは110cm幅、ウールや混紡などは135cm幅。輸入品やインテリア生地は140〜150cm幅が多い。

みみ

反物の両端のことで、布柄と色が違っていたり、メーカー名がプリントされていたりする。みみはほつれないので、縫い代の端に利用することも。

よこ地

布のよこ糸の方向のこと。たて地より伸びやすい。

たて地

布のたて糸の方向のこと。たて地は伸びにくいので、たて地に合わせて裁断して作ると、仕上がりが型くずれしにくくなる。

表・裏

布には表裏があり、仕上げがされた面やプリントされた面が表になる。表裏がわかりにくいときは、みみにプリントがあるほうが表。購入時にお店でも確認を。

バイアス

斜め方向のことをバイアスという。たて地に対して斜め45°の角度を正バイアスといい、布がいちばん伸びる方向。

布目線

布のたて方向を示した線のこと。型紙には布目線も写すことを忘れずに。印つけのときは、布と型紙の布目線の向きを合わせて型紙を置く。

布目

布地のたて糸とよこ糸の織り目のこと。布目がゆがんでいると、でき上がりもゆがんでしまうので、あらかじめ布目を整えておく。

中表

2枚の布のそれぞれ表側が合うように重ねた状態のこと。

外表

2枚の布のそれぞれ裏側が合うように重ねた状態のこと。

わ

二つ折りにした布の折り山のことをわという。写真は、中表にしたわ。

地直し

布地のゆがみを直し、たて糸とよこ糸が直角に交差した状態にすることを「地直し」といいます。このひと手間が仕上がりのゆがみや型くずれを防ぎます。

1 地直し前の布。チェックなどラインがある布は、布のゆがみがわかりやすいので、必ず地直しをする。

2 生地を少し引っぱりながらスチームアイロンをまんべんなくかけて、布目を正しく整える。

3 地直しが済んだ状態。

縮みやすい布の場合は……

麻などのとくに縮みやすい布で、カーテンや洋服など洗濯したときに縮んでは困るものを作る場合は、「水通し」という方法で地直しをします。しばらく水に浸して軽く脱水をかけ、形を整えて陰干し。半乾きのまま、布目を整えながらスチームアイロンをかけます。

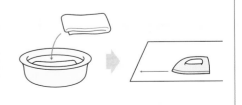

型紙がないとき

直線だけで作れるものは、方眼定規を使って必要な長さを測りながら、
布の裏側に縫い代線、でき上がり線を引く。「直裁ち」ともいう。

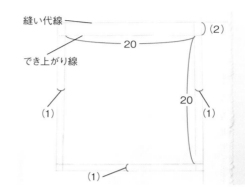

縫い代線

でき上がり線

20

20

(2)

(1)

(1)

(1)

巾着やバッグなど袋
物の印つけ例。でき
上がり20×20cmで、
口側に2cm、それ以
外は1cmの縫い代を
つけたもの。

[用意するもの]
方眼定規、チャコペンシル、裁ちばさみを用意。
チャコペンシルの芯はとがらせておく。

①縫い代線（裁ち切り線）を引く

1 地直しをした布のみみに定規を
当て、上から5cm程度の位置に
横線を引く。

2 ❶の横線に定規を当て、縦線を引
く。

Point

**方眼定規を使って
横線と縦線を垂直に**

製図するときは、布目に対して垂直、平行
であることが大切。裁ち端は曲がってい
ることが多いので、みみに合わせます。

3 上の横線に定規の端を合わせ、
縫い代（2cm／1cm）を足した
23cmを測り、右の縦線に印をつ
ける。

4 同様に左側にも23cmの位置に
印をつける。端と端に印をつける
だけだと曲がりやすいので、中間
にも印をつけておく。

5 印同士を線で結んで、横線を引く。

6　右の縦線に定規を合わせ、縫い代（1cm／1cm）を足した22cmを測り、印をつける。

7　下側の印と結んで縦線を引く。

8　縫い代線が書けたところ。

②でき上がり線を引く

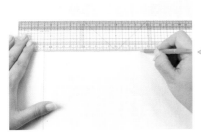

1　縫い代線の内側にでき上がり線を引く。上の線から2cm内側に横の線を引く。

Point

縫い代線と方眼定規の線を合わせる

縫い代線が方眼定規の線と合うように定規を当てれば、中間の印つけをしなくても平行の線が引ける。

2　同様に縦線の内側にも縫い代1cmをとって、でき上がり線を引く。

③裁断する

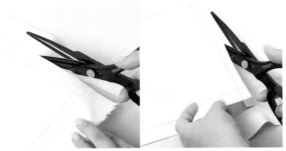

縫い代線に沿って裁ちばさみで布を裁つ。はさみの下の刃をテーブルなどにつけたまま、刃を大きく開いて裁っていく。布を回転させ、体の正面に対して縦方向にはさみを入れること。

☑Check!

NG 手首を曲げて横方向に裁ってはいけない。

NG 刃先は傷みやすいので、はさみの先で裁断しない。

型紙を使うとき

実物大型紙を布の裏側に固定してでき上がり線を引き、
縫い代をつけて裁断する。

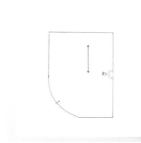

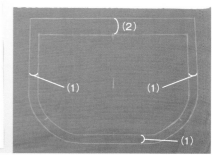

［用意するもの］

ハトロン紙、方眼定規、まち針、実物大型紙、鉛筆、チャコペンシル、裁ちばさみ、クラフト用はさみを用意。

ポケットの実物大型紙を使って、布に印つけをしたところ。ハトロン紙に写して型紙を作り、縫い代をつけて布に印つけをする。

①型紙を作る

1 実物大型紙の上にハトロン紙を重ね、ずれないように注意しながら筆記用具で型紙の線を写す。

2 布目線や合印（p.124参照）なども忘れずに写す。

3 印どおりにはさみで切る。裁ちばさみではなく、クラフト用のはさみで切ること。

②印つけをして裁断する

1 布目線に注意して型紙を布の裏に置き、まち針で数カ所をとめる。

2 型紙に沿ってチャコペンシルで印をつける。

3 印をつけおわったところ。まだ左半分の状態。

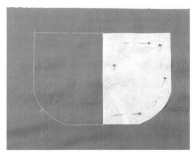

4 型紙に「わ」という表示があるので、ひっくり返して右半分も印つけをする。

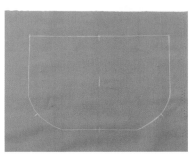

5 全体の印をつけたところ。これはでき上がり線。

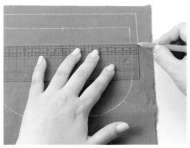

6 でき上がり線の外側に縫い代（口側2cm、口以外1cm）をつける。方眼定規を使って縫い代の線を書く。

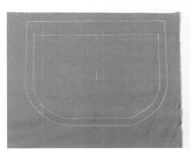

7 でき上がり線の周囲に、縫い代線の印つけをしたところ。

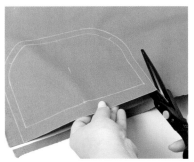

8 縫い代線に沿って裁ちばさみで裁断する。

9 型紙の周囲に縫い代をつけて裁った、ポケット布のでき上がり。

両面チャコペーパーとルレットがあれば……

半身の型紙には両面チャコペーパーを使うと、同時に左右の印つけができるので簡単です。印つけには刃先が丸いソフトルレットを使います。

1 両面チャコペーパー、方眼定規、ソフトルレットを用意する。

2 布を外表に二つ折りにし、わに合わせて型紙を置き、まち針で固定。このとき、まち針は型紙の印の内側に刺し、布2枚を一緒にすくこと。

（表）

わ

3 布と布の間に両面チャコペーパーを挟み、型紙の周囲をルレットでなぞる。下側の布にもきちんと写るよう、強めになぞる。

4 なぞった線の周囲に縫い代をつける。方眼定規をうまく使って。

縫い代つきの型紙のとき

縫い代を含めた線が書かれた実物大型紙を使うときは、両面チャコペーパー、ソフトルレット、方眼定規を使ってでき上がり線の印つけをします。

1　布を外表に二つ折りにし、わに合わせて型紙を置く。

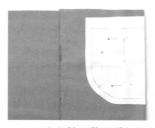

2　まち針で数カ所とめる。このとき、まち針は型紙の印の内側に打ち、布2枚を一緒にすくってとめる。

3　型紙に沿って裁断する。

4　裁断したところ。

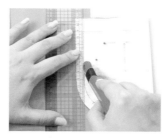

5　布と布の間に両面チャコペーパーを挟み、直線部分のでき上がり線をルレットでなぞる。

6　カーブのところは、型紙のカーブにそろえて慎重にルレットを動かす。

7　中心線を入れておくと、2枚を縫い合わせるときに便利。

8　裁断したパーツ布の内側に、でき上がり線が引けたところ。

中心線

Memo

チャコペーパーやルレットがない場合は、型紙をでき上がり線で切り、p.30で紹介した方法で印つけをしましょう。

まち針の打ち方

まち針はいろいろな場面で使いますが、
ここでは、2枚の布を印どおりに縫い合わせるための
まち針の刺し方をおさらいします。

✛ 刺し方

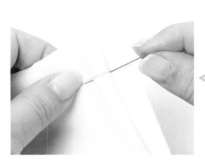

1 縫い線上に針を垂直に刺し、布2枚を一緒にすくって針先を表に出す。

Point

布の表だけを見て刺さない

まち針を刺すとき、印からずれていないか裏も見て確認を。

2 角に垂直に刺したまち針は、縫い線に対して斜めにとめる。

✛ 打つ順序

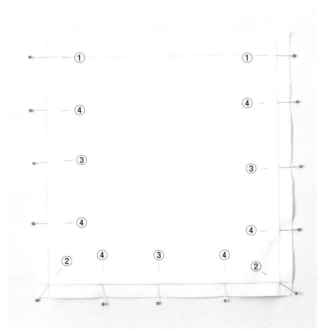

まち針はまず、縫い始めの端と縫い終わりの端に打つ。それから、角がある場合は角全部に、次に直線部分に等間隔に打つ。カーブがある場合は、最後にカーブに細かくまち針を打つ。

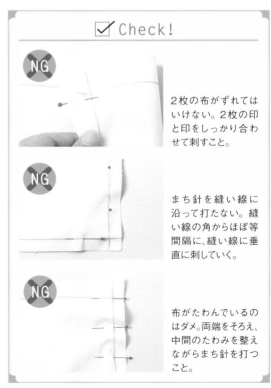

☑ Check!

NG 2枚の布がずれてはいけない。2枚の印と印をしっかり合わせて刺すこと。

NG まち針を縫い線に沿って打たない。縫い線の角からほぼ等間隔に、縫い線に垂直に刺していく。

NG 布がたわんでいるのはダメ。両端をそろえ、中間のたわみを整えながらまち針を打つこと。

しつけのかけ方

本縫いの前にまち針を打って準備をしますが、まち針でとめただけではずれやすいところなどは、しつけをかけておくのがおすすめです。しつけ糸の扱い方としつけの方法も覚えておきましょう。

しつけ糸の準備

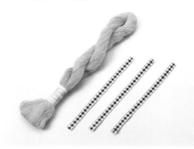

[用意するもの]
しつけ糸と短いひもやリボンを3本用意。しつけ糸は輪になった糸をひねった状態（かせ）で束ねられている。

1 しつけ糸のねじれをほぐし、輪にする。

2 まず片側の端にリボンを結びつけ、間隔をあけてあと2カ所、2本一緒に結ぶ。こうしておくと、糸を引き抜くときに絡まらなくなる。

3 リボンを結んだ端と反対側の端を、はさみで切る。

4 束から1本の糸を抜き出し、しつけ針に通す。糸端を持って引き出すと絡まりやすいので注意。

しつけのかけ方

粗めの並縫い（手縫い）でしつけをかける。まち針を打った縫い線の、少し外側の縫い代部分を縫うのがコツ。しつけをかけ終わったら、まち針を外す。

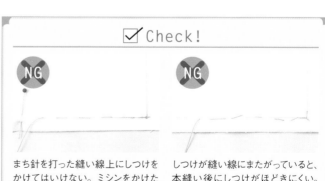

☑ Check!

NG まち針を打った縫い線上にしつけをかけてはいけない。ミシンをかけたあとにほどきにくいので、縫い線より少し外側を縫う。

NG しつけが縫い線にまたがっていると、本縫い後にしつけがほどきにくい。針目の長さや向きがふぞろいだと、本縫いのときに布がずれてしまう。

Part3
よくわかる
ミシンテクニック

ミシン縫いの基本テクニックをマスターすれば、

いろいろな作品が作れます。

基本の縫い方のほか、洋服を作るときの仕立て方、

袋物を縫うときに参考になる方法の

3つのカテゴリー別に、

ミシン縫いに必要な作業について紹介します。

直線・角を縫う

まずはミシン縫いの基本、直線縫い。
さらに、角の縫い方で縫い進む向きの変え方をマスターしましょう。
返し縫いについてもここで確認を。

直線を縫う

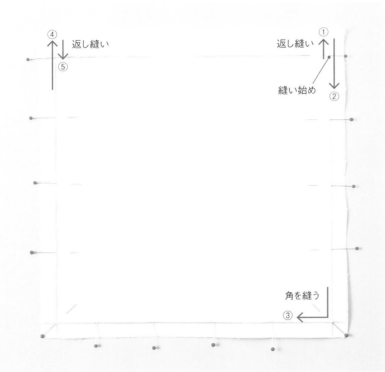

2 押さえ金の下に布を入れる。

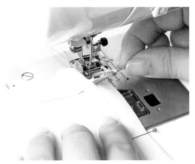

3 押さえ金近くのまち針を抜く。

1 2枚の布を中表に合わせて、まち針を打つ。でき上がり線に沿って直線縫いをする。縫い始めと縫い終わりは返し縫いをする。

4 針上下ボタンを押して、縫い始めの位置（布端から1cmほど進んだでき上がり線の上）にミシン針を下ろす。

5 押さえ上げレバーを下げて、押さえ金を下ろす。

6　返し縫いボタンを押し続けて、布端まで返し縫いをする。フットコントローラーの場合はペダルも踏む。

7　スタートボタンを押して縫い始める（フットコントローラーの場合はペダルを踏んだまま、返し縫いボタンを離す）。返し縫いで縫った上に重ねて、手前に縫い進める。

8　次のまち針の手前まで縫ったら、ストップボタンを押していったん止める（フットコントローラーの場合はペダルを戻す）。

9　まち針を抜いて、再び縫い始める。

10　でき上がり線の角まで縫い進める。両手で布端を軽く押さえながら縫う。

11　でき上がり線の角まで縫ったら、ストップする。

角を縫う

12 針を刺したまま、押さえ上げレバーを上げて押さえ金を上げる。布を90°回して向きを変える。

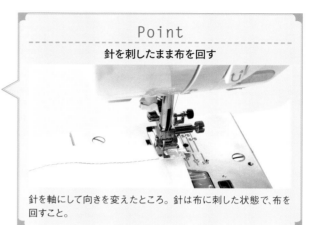

Point

針を刺したまま布を回す

針を軸にして向きを変えたところ。針は布に刺した状態で、布を回すこと。

13 押さえ上げレバーを下げて、押さえ金を下ろす。

14 ⑧～⑨と同様に、まち針を抜きながら縫い進める。

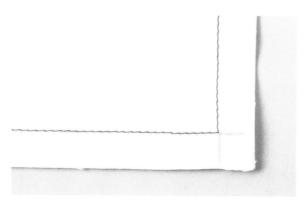

15 角を縫ったところ。

16 布端まで縫ったら、返し縫いボタンを押し続けて3～4針返し縫いをする。

17 返し縫いをしたら、押さえ上げレバーを上げて押さえ金を上げる。

18 針上下ボタンを押して針を上げる。

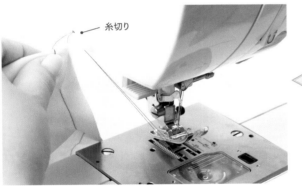

糸切り

19 布を後ろに引き、糸切りに後ろから手前にかけて糸を切る。

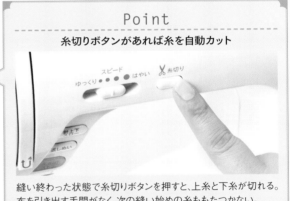

Point

糸切りボタンがあれば糸を自動カット

縫い終わった状態で糸切りボタンを押すと、上糸と下糸が切れる。布を引き出す手間がなく、次の縫い始めの糸ももたつかない。

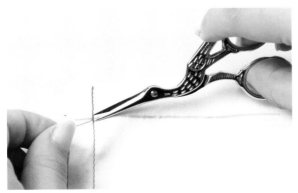

20 布のきわで、上糸と下糸をそれぞれ切る。

21 縫い上がり。

カーブを縫う

きれいなカーブに仕上げるには、縫うスピードをゆっくりにして、
でき上がり線とずれないように縫うのがポイントです。

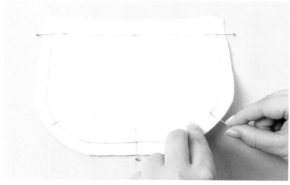

1 2枚を中表に合わせ、でき上がり線の中央、角、カーブの順にまち針を打つ。

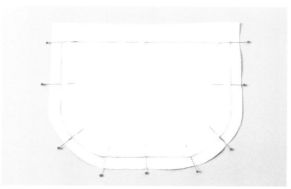

2 まち針をすべて打ったところ。

3 布端から1cmほど進んだでき上がり線に針を下ろし、布端まで返し縫いをしてから縫い進める。

4 カーブの部分は縫うスピードをやや遅めにして、布がずれないように縫う。

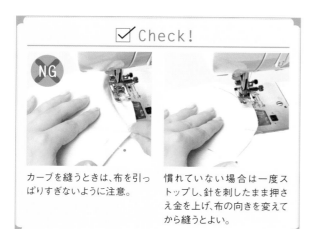

☑ Check!

NG

カーブを縫うときは、布を引っぱりすぎないように注意。

慣れていない場合は一度ストップし、針を刺したまま押さえ金を上げ、布の向きを変えてから縫うとよい。

5 縫い上がり。縫い終わりは返し縫いをする。

裁ち端と縫い代の始末

一般的な布は裁断したままだとほつれてしまうので、
布端にジグザグミシンをかけたり、
折って押さえミシンをかけたりして始末をします。

裁ち端の始末　ジグザグ縫い

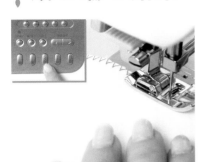

1 基本縫い選択ボタンでジグザグ縫いを選択。布端にジグザグミシンをかける。ジグザグの一方が裁ち端のきわにかかるように縫う。

2 縫い上がり。

薄い生地の場合は……

ジグザグの振り糸に引っぱられて縫い縮むことがあるので、布端から少し内側を縫い、あとで布端を切り落とします。あらかじめ縫い代は多めにとっておきます。

一枚布の縫い代の始末

①二つ折り

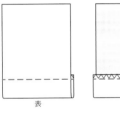

表　　裏

縫い代を裏に折って始末する、いちばん簡単な方法。裏に裁ち端が見える仕上がりなので、あらかじめ裁ち端を始末しておく。

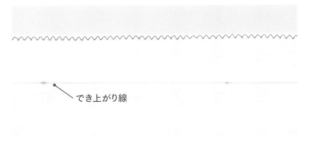

← でき上がり線

1 布端にジグザグミシンをかける。

（裏）

（裏）

（表）

2 縫い代をでき上がり線で裏側に折る。

3 ジグザグミシンの1〜2mm上を縫う。

4 縫い上がり（表）。

②三つ折り

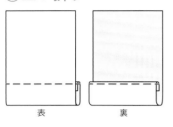

表　　　　裏

縫い代を裏に2回折ってミシンをかける
方法。裁ち端は三つ折りの中に隠れる。
カーテンやブラウスの裾などによく用いら
れる。

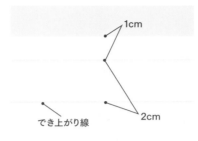

1cm

2cm

でき上がり線

1 裁ち端の始末はしない。

2 布端を裏側に1cm折る。

（裏）

3 さらに、でき上がり線で折る。

4 ❷の折り山より1〜2mmのところ
を縫う。これを「端ミシンをかける」
ともいう。

（表）

5 縫い上がり（表）。

③完全三つ折り

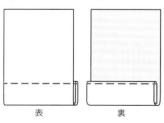

表　　　　裏

薄地や透ける布のときに用いられる方
法。折り込んだ布端が透けて見えず、き
れいに仕上がる。三つ折りと工程は同じ
だが、あらかじめ縫い代を折り幅の2倍
とっておく。

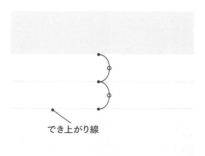

でき上がり線

1 裁ち端は始末しない。縫い代は
折り幅の2倍とる。

2 縫い代の半分を裏側に折る。さ
らに、でき上がり線で折り、三つ折
りと同様に端ミシンをかける。

角を三つ折りで縫うとき

一枚布の角を三つ折りにして仕上げるとき、
布の重なりが多くて縫いにくくならないよう、
縫う前に角部分を少し切り落としておきます。

1　2辺とも三つ折りの折り線をつける。

2　2辺とも広げる。

3　元のように1辺を三つ折りに折る。布の重なり
　が多くなる角を、少し切り落とす。

4　それぞれの辺を三つ折りで縫う。1辺ずつ、縫
　い始めと縫い終わりで返し縫いをする。

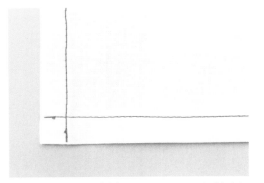

5　縫い上がり（表）。ミシンのステッチが十字に
　重なる。

Memo

一枚布で作るランチョンマットやクロス類の
布端は、裏に裁ち端が見えないように三つ折
りで始末します。薄地で作るときはこの作業
は不要ですが、やや厚めの布や張りのある布
を使うときは、この方法で行いましょう。

2枚の布を合わせたときの縫い代の始末

①縫い代を片側に倒す方法

1 2枚を中表に重ねて、でき上がり線を縫う。	**2** 2枚一緒に裁ち端にジグザグミシンをかける。

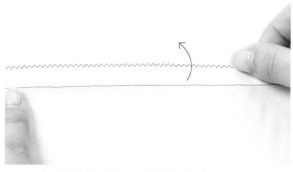

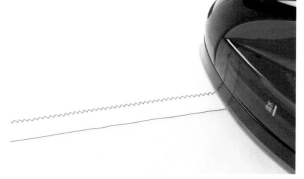

3 2枚の布を広げ、縫い代を片側に倒す。	**4** 倒した縫い代にアイロンをかけて押さえる。

▶**押さえミシンをかける場合**

（表）

5 縫い代が片倒しになったところ。	**6** 布を表にする。縫い代は上側に片倒しになっている。

7　倒した縫い代を落ち着かせるために、縫い合わせのきわ
　　を、表から縫う。これを「押さえミシンをかける」ともいう。

②縫い代を割る方法

1　2枚とも裁ち端にジグザグミシンをかけておく。

2　2枚を中表に合わせて、でき上がり線を縫う。

3　2枚の布を広げ、裏の縫い代をアイロンで割って押さえ
　　る。

（表）

4　でき上がり（表）。

2枚を縫って表に返す

作品作りによく用いられる「2枚の布を中表に合わせて縫い、表に返して仕上げる」工程。表に返すとき、覚えておきたいポイントがあります。最後に返し口を始末することも忘れずに。

⊢ 角を表に返す

1 2枚を中表に重ねて、角を縫ったところ。

2 縫い代をでき上がり線で折る。指で折り線をなぞり、クセをつける。

3 もう一方の辺も同様に折る。

4 角の縫い代を斜めに切り落とす。

5 角を切り落としたところ。

6 縫い代をでき上がり線で折ったまま、布を表に返す。

7　角は内側から手を入れて、ていねいに出す。

8　内側に入っている部分は、目打ちの先で押し上げるようにして角を出す。

（表）

9　でき上がり（表）。

↕ カーブを表に返す

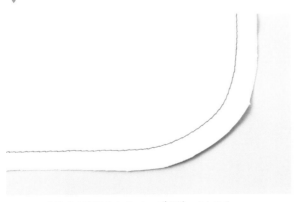

1　2枚を中表に合わせ、カーブを縫ったところ。

2　縫い代をはさみで細く（5mmほど）切りそろえる。

3 　縫い代の幅を細く切りそろえたところ。

4 　縫い代をでき上がり線で折る。指で折り線をなぞり、クセをつける。

5 　カーブのところは内側に寄せるようにしてでき上がり線に合わせ、細かく折る。

6 　表に返し、内側から指で押してカーブのところを整える。

（表）

7 　でき上がり（表）。

Memo

丸衿やスタイなど、内側にくぼんだカーブのあるものを作るときは、縫い代に切り込みを入れてから表に返します（p.68〜70参照）。

返し口から表に返す

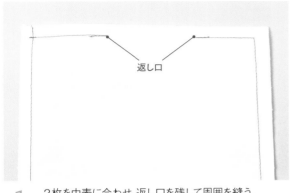

1 2枚を中表に合わせ、返し口を残して周囲を縫う。

2 四隅の縫い代の角を切り落とし、返し口から表に返す。

（表）

3 表に返したところ。

4 返し口は、ミシンか手縫いでとじる。クッションなどは返し口から綿を詰める。

とじ方❶　端ミシン

布端から1〜2mmくらいのところにミシンをかけ（端ミシン）、返し口も一緒にとじる。

とじ方❷　まつり縫い

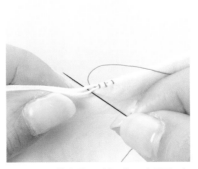

返し口の2枚を重ね、折り山のすぐ下から斜めに針を入れる。反対側に針を出したら、また折り山の下から針を入れ……というように繰り返して縫う。

とじ方❸　コの字とじ

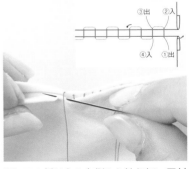

返し口の折り山の内側から針を出し、反対側の折り山の頂点に針を刺す。折り山の布を少しすくって糸を引き、また反対側の折り山の頂点をすくって……というように繰り返して縫う。

縁どり（パイピング）をする

布の裁ち端をテープ状の布でくるむ縁どりを
パイピングといいます。丈夫に仕上がるだけでなく、
色柄の違う布を使ってアクセントにしても。

┼ 直線のパイピング

直線部分をくるむときはバイアステープでなくても、
テープ状に裁った布を使えばOK。

1 バイアステープ（p.51参照）の折り目を広げる。

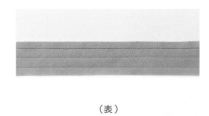

（表）

2 本体布（表）の端にテープを中表に合わせ、まち針を打つ。

（表）

3 本体布の布端側1本めの折り線上を縫う。

（裏）

4 折り線（縫い目）でテープを折り上げ、本体布を裏に返す。テープで布端をくるみ、テープの端1/4を内側に折り込む。

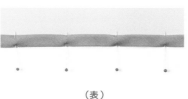

（表）

5 表に返し、まち針を打つ。

（表）

6 テープに端ミシンをかける。本体布の表側から縫うことで、表のステッチがよりきれいに仕上がる。

端ミシンが苦手な人は……

ミシンに慣れていない場合は、最後の端ミシンの代わりにまつり縫いをするのがおすすめ。[直線のパイピング]❹のところでテープを折り込んだら、裏側でまつり縫いをします。

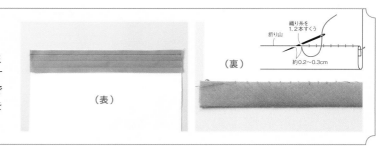

（表）

（裏）

織り糸を1、2本すくう

折り山

約0.2〜0.3cm

カーブのパイピング

伸びやすいバイアステープを使って、カーブにうまく沿わせて縫うのがポイント。

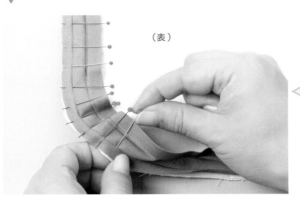

（表）

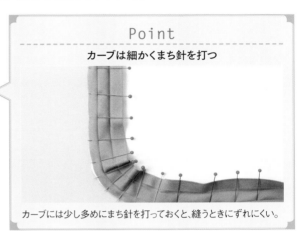

Point

カーブは細かくまち針を打つ

カーブには少し多めにまち針を打っておくと、縫うときにずれにくい。

1 本体布（表）にバイアステープを中表に重ね、少し引っぱりながらカーブに沿わせてまち針でとめる。

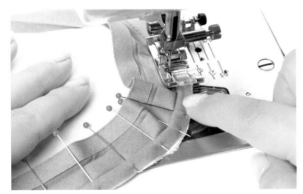

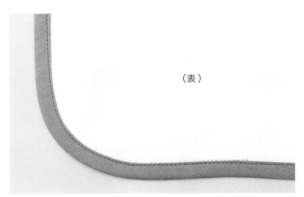

（表）

2 本体布の布端側1本めの折り線上を縫う。カーブのところはミシンのスピードをゆっくりにして、ずれないように。

3 ［直線のパイピング］④〜⑤と同様に、裏側に返して端を折り込み、表側から端ミシンをかける。

バイアステープ

布を正バイアス（斜め45°）で裁断したテープのこと。市販のバイアステープでパイピングをするときは、四つ折りになった縁どりタイプのものを用意します。さまざまな色柄、素材のものがあるので、作品の本体に合わせて選びましょう。

バイアステープのつなげ方

バイアステープの長さが足りなくなって、新たなテープをつなげるときは要注意。

1 バイアステープの折り目を広げ、斜め45°にカットする。

2 写真のように2枚を中表に合わせて、まち針でとめる。折り線同士が重なるように、両端をずらして重ねるのがポイント。

✓ Check !

垂直にカットして重ねて縫う　布端同士を合わせて縫う　重ねて斜めに縫う

テープを垂直に裁ってつなげてしまうと、正バイアスになっていないので伸びにくいテープになってしまう。また、斜め45°に裁っても、2枚の重ね方が違うと、きれいなバイアステープに仕上がらないので注意すること。

3 端から端まで縫う。縫い始めと縫い終わりには返し縫いをする。

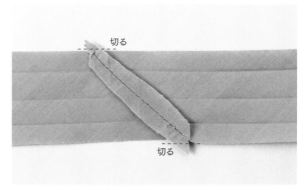

4 テープを広げて縫い代を割り、両側にはみ出した部分を切る。

5 縫い代のはみ出しをカットしたところ（表）。

6 折り線で四つ折りにする。

パイピングの始めと始末

1周ぐるりと縁どりする場合は、
バイアステープの縫い始めを折り返しておきます。

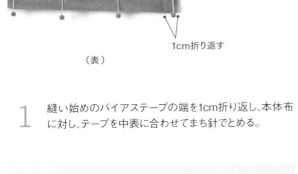

（裏）

1cm折り返す

（表）

1 縫い始めのバイアステープの端を1cm折り返し、本体布に対し、テープを中表に合わせてまち針でとめる。

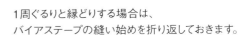

（表）

2 1周まち針でとめたところ。縫い終わりのテープは、縫い始めのテープに1cmほど重ねる。

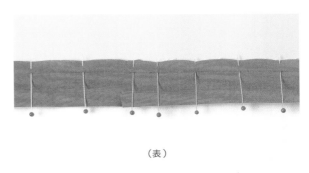

（表）

3 本体布の布端側1本めの折り線上を縫う。

（表）

4 ［直線のパイピング］❹〜❺と同様に、裏側に返して端を折り込む。端ミシンやまつり縫いで始末する。

バイアステープの作り方

縁どりに使うなら、テープの幅は[縁どり幅×4]、またはテープメーカーに合った幅で作ります。

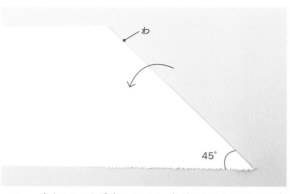

1 布をみみから垂直にカットし、角が45°になるように三角に折る。布のわ（斜め）が裁ち線のガイドになる。

2 布を広げ、テープメーカーに必要な幅に合わせて平行線を引く。

3 線に沿って裁断する。

4 数本をつなげて（p.52参照）、必要な長さのテープに仕上げる。

テープメーカーの使い方

テープメーカーを使うと、バイアステープの両端に簡単に折り目をつけることができます。

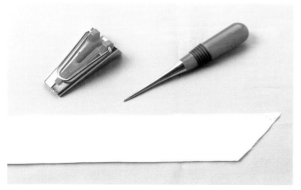

1 バイアステープ、テープメーカー、目打ち、アイロンを用意する。

2 テープの先をテープメーカーに差し込む。

3 目打ちを使ってテープを送り出す。

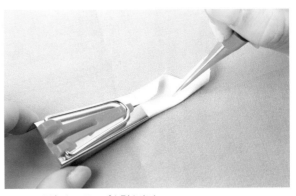

4 目打ちでテープを引き出す。

5 テープの先をアイロンで押さえ、テープメーカーを左へスライドさせながら、テープにアイロンをかけていく。

6 アイロンで押さえながら、テープメーカーを左へ引いているところ。

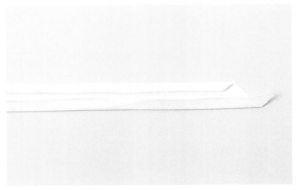

7 両折りバイアステープのでき上がり。テープをさらに中央で折り、アイロンで押さえれば、四つ折りになった縁どり用テープに。

テープメーカーがない場合は……

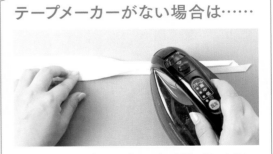

両端をアイロンで押さえて作ります。縁どり幅の2倍にカットした厚紙を中央にのせて折るとスムーズ。

ボタンホールを縫う

ミシンのボタンホール機能を使います。
専用の押さえ金にボタンをセットすると、
自動的に最適サイズのボタンホールが縫えます。

1 ボタンホールを縫いたいところに印をつける。十字の交点が縫い始めの位置になる。

2 押さえ金を取り替える。左側が「ボタンホール押さえ」。

3 ミシンの取扱説明書に従って、押さえ金を外す。

4 押さえ金を替え、ボタンを押さえ金の台にセットする。ボタンの直径と厚みを合わせているところ。

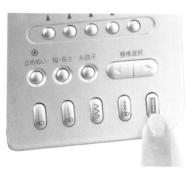

5 基本縫い選択ボタンでボタンホールを選択する。

6 布の印が押さえ金の印と合うように布を入れ、押さえ金を下げる。

7 ボタンホールレバーを下げる。

8 上糸を軽く持ちながら、ミシンをスタートさせる。

9 自動で縫い始める。送りに合わせて布を軽く押さえているだけでOK。

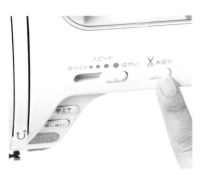

10 縫い終わったら、自動でストップする。糸切りボタンを押してから、押さえ金を上げて布を外す。

11 ボタンホールの縫い上がり。

12 まち針を縫い目の内側に打つ。穴をあけすぎないためのストッパーになる。

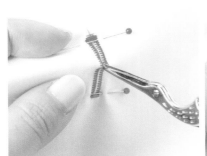

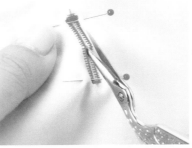

13 糸切りばさみで切り開く。中心に刃先を入れ、半分ずつ切るとよい。

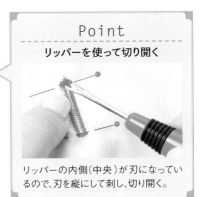

Point
リッパーを使って切り開く

リッパーの内側（中央）が刃になっているので、刃を縦にして刺し、切り開く。

14 ボタンホールのでき上がり。セットしたボタンにぴったりのサイズで仕上がる。

Memo　足つきボタンや変形ボタンの場合

押さえ金の台にボタンがのらなかったり、変形ボタンの場合は、台の幅が「ボタンの直径＋厚み」になるように調整します。形が複雑なボタンは、余り布に穴をあけて必要なサイズを確認しましょう。

ギャザーを縫う

布を縫い縮めて作る細かいひだのことをギャザーといいます。スカートのウエストやバッグの口などに施せば、作品を立体的に仕上げることができます。

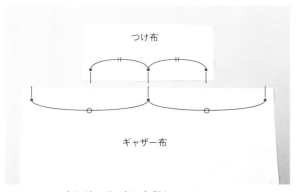

1 つけ布とギャザー布に合印をつける。

2 ミシンの機能ボタンで針目がいちばん大きく（5mm）なるよう設定して、ギャザー布の縫い代にミシンをかける。これを「粗ミシンをかける」ともいう。

3 返し縫いはせずに、でき上がり線よりも2〜5mm上に粗ミシンをかける。糸端は10cmほど引き出して切る。

4 上糸だけを引っぱって、ギャザーを寄せる。

Point
布幅を調整してギャザーを均等に整える

つけ布の幅に合わせてギャザーを均等に整え、合印を合わせる。

5 つけ布とギャザー布を中表に合わせ、合印を合わせてまち針でとめる。

6　でき上がり線の1～2mm上の縫い代にしつけをかける。
しつけをせずに、まち針を抜きながら縫ってもよいが、ず
れやすいので注意。

7　まち針を抜いて、布がずれないように注意しながら、でき
上がり線を縫う。

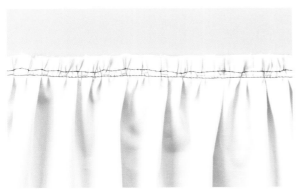

8　縫い上がり。

9　最初の粗ミシンとしつけの糸を取り、布端を2枚一緒にジ
グザグミシンで始末する。

（表）

10　縫い上がり（表）。

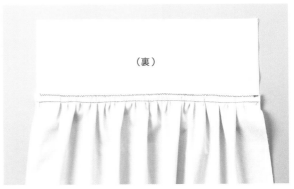

（裏）

11　縫い上がり（裏）。縫い代はつけ布側に片倒しする。

ダーツを縫う

布をつまんで縫い合わせ、立体的にする方法です。
バスト脇やウエスト脇に施して、ボディラインに合わせます。
バッグやポーチなどで使われることも。

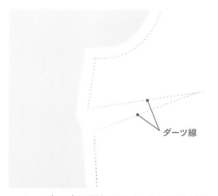

1　布の裏に型紙を写す。2本の線がダーツ線。

2　ダーツ線の2本が合うように布を中表につまみ、まち針を打つ。

3　ダーツどまり（ダーツ線の終点）には縫うときの目印になるように、まち針を上から打つ。

4　ダーツ線を❸のまち針まで縫う。必ず角度のあるほうからダーツどまりに向かって縫うこと。

5　返し縫いをせずに縫い終わる。押さえ金を上げ、糸を10cmほど引き出してから切る。糸切りボタンは使わないこと（p.61 Memo参照）。

6　ダーツの先端で上糸と下糸を固結びする。

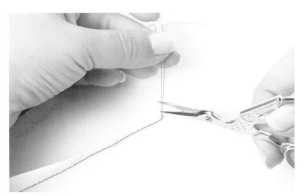

7 5mmほど糸端を残して糸を切る。

Memo

ダーツは縫い終わりが服やポーチ本体の中心近くにくるので、返し縫いをすると縫い線が表にひびきやすくなります。厚手の布なら、ほつれ防止のため返し縫いをしてもOKです。いずれも縫いすぎには注意しましょう。

☑ Check!

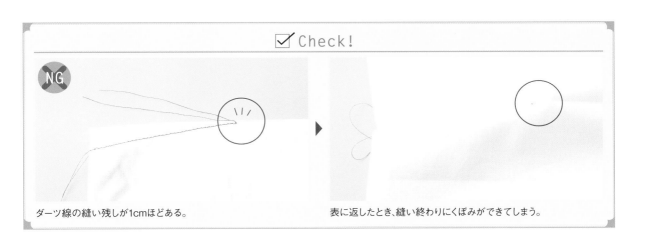

ダーツ線の縫い残しが1cmほどある。

表に返したとき、縫い終わりにくぽみができてしまう。

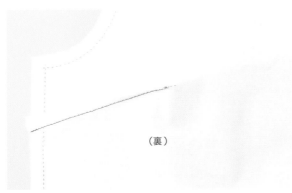

（裏）

8 糸を切ったところ。縫い代は上に倒す。

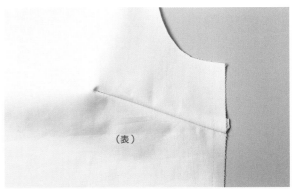

（表）

9 縫い上がり（表）。

タック・プリーツを縫う

布をたたんで作るひだのことをタックといいます。
タックの折り目をしっかりつけてたたんだものをプリーツといいますが、
手法は同じです。

1　布の表にタック幅の印をつける。

2　型紙の記号で斜線の高いほう（ここでは右）をつまむ。

3　つまんで作ったひだの折り山を、斜線の低いほうの印に
合わせて重ねる。

Point

型紙の記号でひだの向きを確認

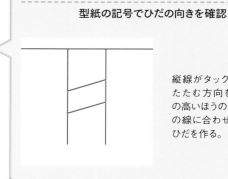

縦線がタック幅で、斜線は
たたむ方向を示す。斜線
の高いほうの線を低いほう
の線に合わせるようにして
ひだを作る。

4　タック幅がずれないよう、まち針でとめる。

5　でき上がり線より2〜3mm縫い代側を縫う。

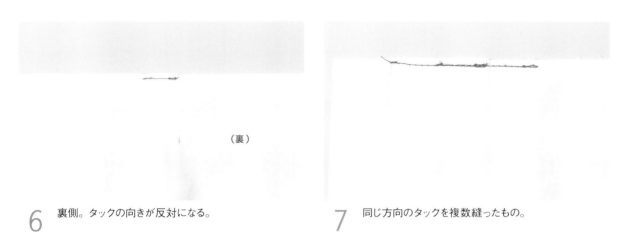

（裏）

6　裏側。タックの向きが反対になる。

7　同じ方向のタックを複数縫ったもの。

タックの種類

●左から右に倒す　　　　　　　　　●右から左へ倒す

●2つのタックを中心に向かって倒す（ボックスプリーツ）

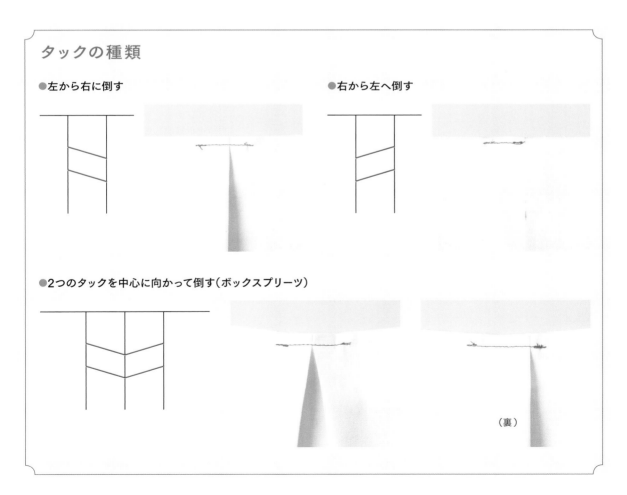

（裏）

こんなときどうするの？
ミシン縫い Q&A

Q 縫うところを
間違えた！

A 糸をほどいてやり直しましょう。布を切らないように注意して糸を切り、引き抜きます。リッパーがあると便利です。

＊リッパーの使い方

1 リッパーを縫い目に入れる。

2 短いほうを上にして、刃（★の部分）でカットする。

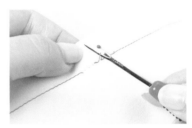

3 リッパーを縫い目に入れて、糸を引き抜く。

Q 縫い目がとぶ！

A 縫い目がとんでうまく縫えないのは、針の取りつけ方が間違っていたり、針が曲がっていたりすることが原因です。ミシン針は消耗品なので、使ううちに曲がったり、先がつぶれたりします。定期的にチェックして早めに取り替えるようにしましょう。

Q 縫い目に
輪ができる！

A 縫い目にタオル地のループのような輪ができてしまうのは、糸のかけ方やボビンのセットの仕方に原因があります。取扱説明書を確認し、正しくセットし直しましょう。

Q 下糸が切れた！

A 途中で糸が切れた場合は、途切れた縫い目に少し重ねて再び縫い始めます。縫い目が曲がってほどく必要があるときも、曲がったところだけ糸をほどき、重ねて縫うようにします。なお、下糸の残量があるのに切れる場合、ボビンが正しくセットされていなかったり、ボビンに糸がからまっていたりすることもあるので確認を。

＊途切れた縫い目の縫い足し方

1 途中で糸が切れたところ。

2 元の縫い目に重ねて縫い足す。返し縫いをして縫い始めるのを忘れずに。

Q 縫い目が曲がった！

A 縫い目ができ上がり線よりも縫い代側に曲がった場合、縫い代を割る必要がなければ（片倒しするなど）、ほどかなくてもOK。曲がったところをまっすぐに縫い足しましょう。ただし、反対側に縫い込んでしまった場合は、ほどいてやり直します。

＊ほどかない縫い直し方

1 片倒しの処理をする縫い代で、縫い目が縫い代側に曲がっている。

2 間違った縫い目を残したまま、でき上がり線上を正しく縫い足す。

ゴム通し口を作る

スカートやパンツのウエストなどに、ゴムを通す場合の通し口の作り方です。
巾着の袋口などと違い、表からはゴム通し口は見えません。
ひも通しの使い方もここで確認。

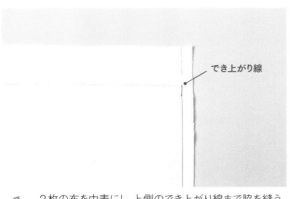

でき上がり線

1 2枚の布を中表にし、上側のでき上がり線まで脇を縫う。
でき上がり線より1針先まで縫うぐらいでよい。

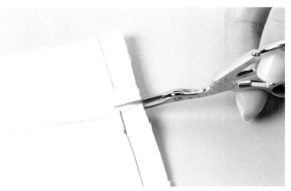

2 縫いどまりの位置の縫い代に、切り込みを縫い線まで入れる。

3 脇の布端を2枚一緒にジグザグミシンで始末する。

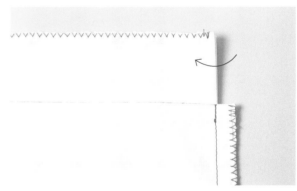

4 通し口の縫い代をでき上がり線上でそれぞれ折り、上端に1枚ずつジグザグミシンをかける。

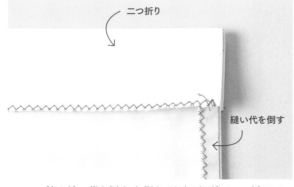

二つ折り

縫い代を倒す

5 脇の縫い代を倒す。上側をでき上がり線で二つ折りにし、アイロンで押さえる。

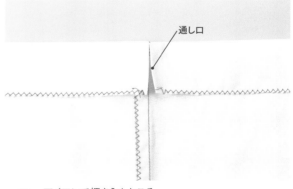

通し口

6 アイロンで押さえたところ。

▶ゴムを通す

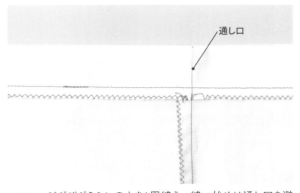

7 ジグザグミシンの上を1周縫う。縫い始めは通し口を避けるとよい。ゴム通し口のでき上がり。

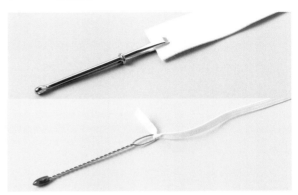

1 ひも通しにゴムを固定する。ゴムの幅によって、挟むタイプや輪に結ぶタイプを使い分ける。ただし、安全ピンなどで代用も可能。

2 一方の通し口からひも通しを入れ、反対の通し口から出す。

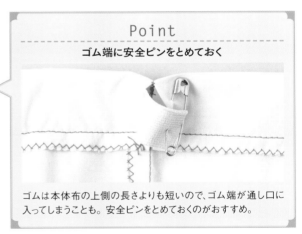

Point

ゴム端に安全ピンをとめておく

ゴムは本体布の上側の長さよりも短いので、ゴム端が通し口に入ってしまうことも。安全ピンをとめておくのがおすすめ。

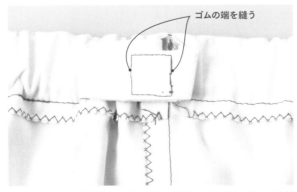

ゴムの端を縫う

3 ゴムの両端を1～2cm重ねて縫いとめ、通し口の中に収める。

（表）

4 でき上がり（表）。

見返しを縫う

衿ぐりや袖ぐり、ブラウスなどの前合わせの裏につけて始末する布を「見返し」といいます。見返しを身頃に縫い合わせたあと、返すときにポイントがあります。見返しは接着芯を貼って使いましょう。

┼ カーブの見返し

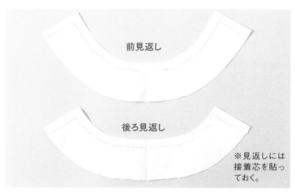

1 見返しを2枚裁断したところ。

※見返しには接着芯を貼っておく。

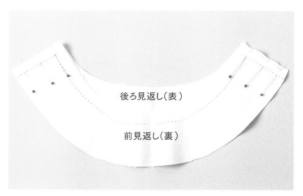

2 前後の見返しの肩を中表に合わせ、縫う。

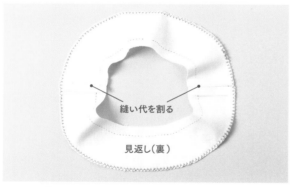

3 縫い代を割り、外側の裁ち端にジグザグミシンをかける。

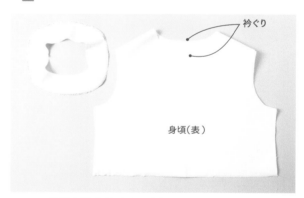

4 身頃の衿ぐりと中表に合わせる。

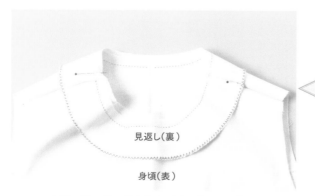

5 身頃の肩の縫い代を後ろに倒し、見返しと身頃の肩を合わせてまち針でとめる。

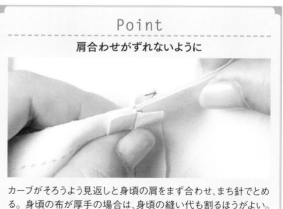

Point

肩合わせがずれないように

カーブがそろうよう見返しと身頃の肩をまず合わせ、まち針でとめる。身頃の布が厚手の場合は、身頃の縫い代も割るほうがよい。

6 まち針を全体に打ったところ。

7 後ろ見返し側からでき上がり線を縫う。カーブの縫い方のコツはp.40参照。

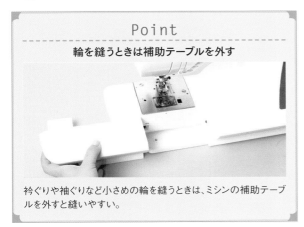

Point

輪を縫うときは補助テーブルを外す

衿ぐりや袖ぐりなど小さめの輪を縫うときは、ミシンの補助テーブルを外すと縫いやすい。

8 縫い上がり。

9 縫い代に2枚一緒に切り込みを約1cm間隔で入れる。縫い目を切らないように縫い線近くまで切る。

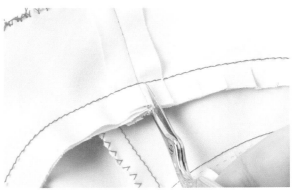

10 縫い代の重なりも忘れずに、切り込みを入れる。

NG

中途半端に小さく切り込みを入れると、ごわつきの原因になる。でき上がり線近くまでしっかりはさみを入れる。

11 衿ぐりに切り込みを入れたところ。

12 見返しを身頃の裏側に返し、アイロンで押さえる。

Point

縫い線を裏側にずらして仕上げる

1mm控える

表から縫い線が見えないように、見返しを裏側に1mmほどずらしてアイロンをかけるとよい。ソーイング用語では、縫い線を裏へずらして表から見えないようにすることを、「控える」という。

衿ぐりがボコボコしてしまうときは……

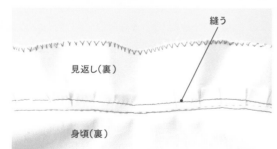

縫う

見返し（裏）

身頃（裏）

縫い代を見返し側へ倒し、衿ぐりのでき上がり線から5mm外側を、表からミシンで1周縫う。

見返しを身頃の裏側に戻す。縫い代が落ち着き、きれいな仕上がりに。表からはステッチは見えない。

V字の見返し

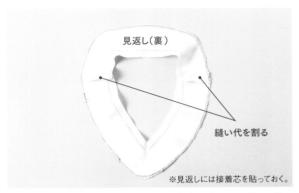

見返し（裏）

縫い代を割る

※見返しには接着芯を貼っておく。

1 前見返しと後ろ見返しの肩を中表に合わせて縫い、縫い代を割り、外側の裁ち端にジグザグミシンをかける。

身頃（表）

2 身頃の衿ぐりと中表に合わせる。身頃の肩の縫い代は後ろに倒しておく。

見返し（裏）

身頃（表）

3 まず、見返しと身頃の肩を合わせてまち針でとめる。全体にまち針を打ち、後ろ見返し側からでき上がり線を縫う。

4 縫い代に切り込みを入れる。

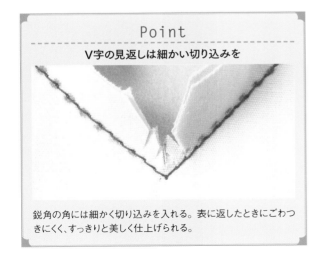

Point

V字の見返しは細かい切り込みを

鋭角の角には細かく切り込みを入れる。表に返したときにごわつきにくく、すっきりと美しく仕上げられる。

5 見返しを身頃の裏側に返し、アイロンで押さえる。

スラッシュあきを縫う

「スラッシュあき」とは、ワンピースやブラウスの衿ぐりなどに施す切り込みのこと。洋服のファスナーつけは大変ですが、これなら簡単。切り込み部分の縫い代は細いので、見返しをつけて補強します。

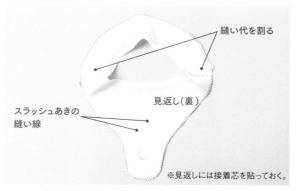

縫い代を割る

見返し（裏）

スラッシュあきの
縫い線

※見返しには接着芯を貼っておく。

1 前見返しと後ろ見返しの肩を中表に合わせて縫い、縫い代を割り、外側の裁ち端にジグザグミシンをかける。

身頃（表）

2 身頃の衿ぐりと中表に合わせる。身頃の肩の縫い代は後ろに倒しておく。

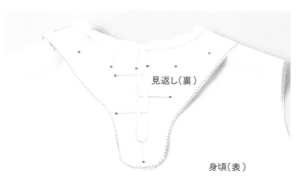

見返し（裏）

身頃（表）

3 見返しと身頃の肩を合わせてまち針でとめてから、衿ぐり全体にまち針を打つ。スラッシュあきのあきどまり位置にまち針を打ち、U字にも数カ所まち針を打つ。

4 でき上がり線を縫う。後ろ見返し側から縫い始める。

5 スラッシュあきを縫う。あきどまり近くのU字を縫っているところ。カーブの手前でミシンの縫い目を細かく設定すると、布の方向を変えやすく、印どおりにカーブが縫える。

Point

慣れていない人はこまめに布の向きを変える

慣れていないうちは、いったんストップし、押さえ金を上げて布の向きを変える。印どおりにカーブが縫えるよう、縫い目は細かいものに設定を。

6 衿ぐりとスラッシュあきを縫ったところ。

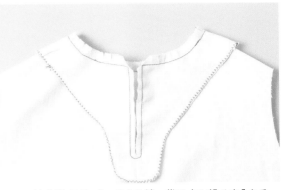

7 衿ぐりとスラッシュあきの縫い代に、切り込みを入れる。

Point
切り込みの入れ方

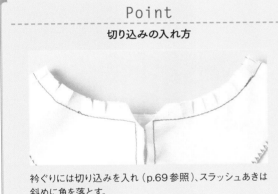

衿ぐりには切り込みを入れ（p.69参照）、スラッシュあきは斜めに角を落とす。

スラッシュあきのあきどまりは、細かく切り込みを入れる（p.71参照）。

8 見返しを身頃の裏側に返し、アイロンで押さえる。

Point
縫い線を控えてアイロンをかける

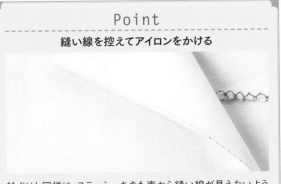

衿ぐりと同様に、スラッシュあきも表から縫い線が見えないように、見返しを裏側に1mmほどずらしてアイロンをかける。

袖をつける

袖つけは、身頃と袖の合印をきちんと合わせれば、あとは縫うだけ。
袖を差し込むときに「身頃は裏、袖は表」と覚えておきましょう。

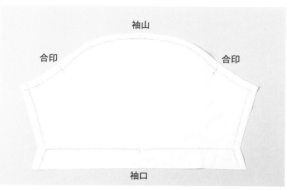

1 袖を裁断したところ。

2 中表に二つ折りにし、でき上がり線を縫う。裁ち端を2枚一緒にジグザグミシンで始末する。

3 袖を表に返す。写真の方向で身頃の内側に外表にした袖を差し込む。身頃は裏、袖は表にしてあれば中表で重なる。袖の縫い代は前側に倒しておく。

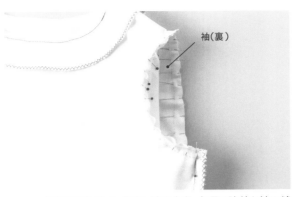

4 身頃の肩と袖山、身頃と袖の合印、身頃の脇線と袖の縫い線を合わせて、まち針でとめる。袖つけに慣れていない場合は、しつけをかける。

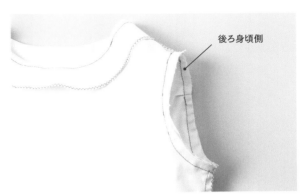

5 袖と身頃を縫い合わせる。まち針でとめた袖を見ながらミシンをかけるほうが縫いやすい。後ろ身頃（背中）側から縫い始める。

6 裁ち端を2枚一緒にジグザグミシンで始末する。

7 袖を引き出す。裏側が出る。

8 袖口を始末する。裁ち端にジグザグミシンをかけ、でき上がり線で二つ折りにして、ジグザグミシンの2mmほど横を縫う。

9 表に返す。縫い上がり。

ひも通し口を作る

巾着袋などにひもを通す場合の通し口の作り方です。
袋の口脇にひもを出すので、表から通し口が見えるタイプです。

1 2枚の布を中表にし、あきどまりまで縫う。

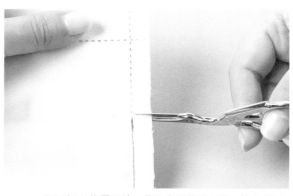

2 あきどまり位置の縫い代に、切り込みを縫い線まで入れる。

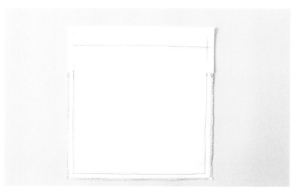

3 袋部分の裁ち端を始末する。2枚一緒にジグザグミシンをかける。

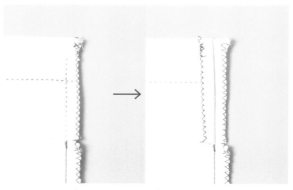

4 通し口（あきどまりから上）の縫い代の端に1枚ずつジグザグミシンをかけ、本体裏側に折ってアイロンで押さえる。

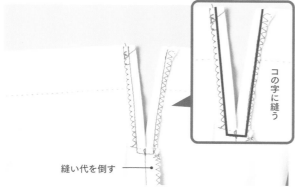

コの字に縫う

縫い代を倒す

5 袋部分の縫い代を片側に倒し、通し口の縫い代を、コの字に縫う。

6 口側の上端に1枚ずつジグザグミシンをかける。

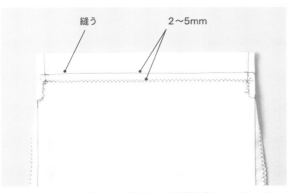

7 でき上がり線で二つ折りにし、ジグザグミシンの2〜5mm上を1枚ずつ縫う。縫う位置は、通すひもの幅によって調整を。

8 表に返す。ひも通し口のでき上がり。

▶ひもを通す

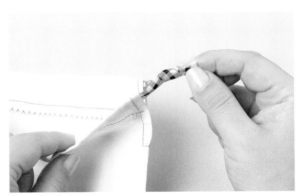

1 通し口が左右2つある場合は、ひもを2本用意する。ひも通しにリボンなどを固定し、通し口からひも通しを入れる。

2 1周ぐるりとひもを通し、同じサイドのもう一方の通し口から出して結ぶ。

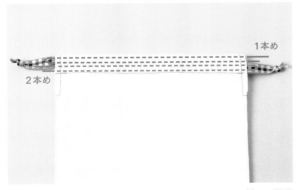

3 もう1本のひもは反対サイドの通し口から、同様に1周通す。

4 両サイドのひもを引いて口をとじる。

ひもの作り方

共布でひもを作りたい場合や、
ボタンをかけるループを作りたいときは、
ループ返しを使うと便利です。

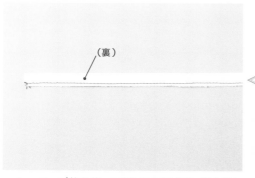

1　テープ状に裁った布を二つ折りにし、裁ち端から1mmくらいの位置を縫う。

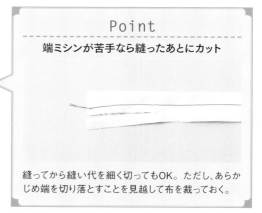

Point

端ミシンが苦手なら縫ったあとにカット

縫ってから縫い代を細く切ってもOK。ただし、あらかじめ端を切り落とすことを見越して布を裁っておく。

2　ループ返しを差し込む。

3　ループ返しを反対側のひも端まで入れ、ループ返しのフックに布を引っかける。

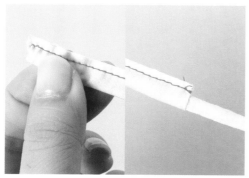

4　布が外れないように少しずつループ返しを引いて、ひもを表に返す。

5　ひものでき上がり。

まちを作る

ポーチやバッグを立体的に作るのに必要な「まち」。
まちの縫い方にはいろいろな方法がありますが、本体布でまちを作る場合と、
別布でまちをつける場合を紹介します。

✛ 三角につまむまち

1　本体布2枚を中表に重ねて、脇と底を縫ったところ。

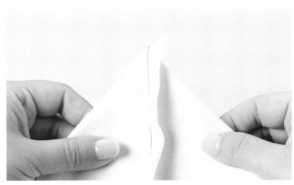

2　底を見ながら縫い目が中央にくるようにして、三角につまむ。

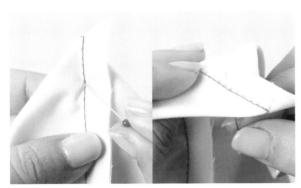

3　縫い代を片側に倒し、まち針でとめる。このとき、底と脇の縫い線を合わせて打つこと。

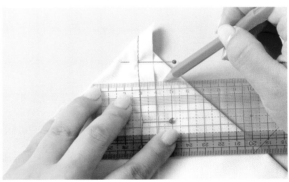

4　ここでは6cmのまちをつける。二等辺三角形に整え、定規を当て、縫い目を中央にして左右各3cmずつ線を引く。

5　まちの印に、まち針を打ち直す。

6　印どおりに縫う。

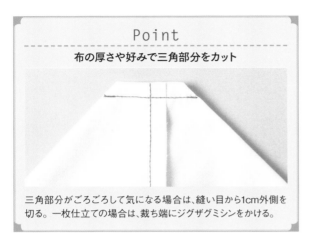

Point

布の厚さや好みで三角部分をカット

三角部分がごろごろして気になる場合は、縫い目から1cm外側を切る。一枚仕立ての場合は、裁ち端にジグザグミシンをかける。

7 表に返す。6cmのまちができたところ。

一枚布で底（または脇）をわにして作るとき

1 本体布を中表に二つ折りにし、脇を縫う。

2 底にしっかり折り目をつける。

3 縫い代を片側に倒し、まち針でとめる。このとき、底中央の線と脇の縫い目を合わせて打つこと。

☑ Check!

底の折り目と脇の縫い目が合っているか、必ず確認を。

4 ［三角につまむまち］❹〜❻と同様にまちの印をつけて縫う。

5 表に返す。

四角く切ってからつまむまち

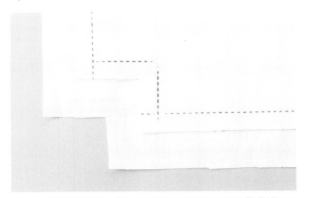

1 脇や底を縫い合わせる前に、型紙や製図の指示通りに底と脇のまち部分をカットする。

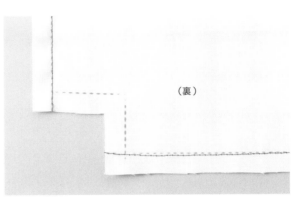

（裏）

2 本体布2枚を中表に重ねて、脇と底を縫ったところ。

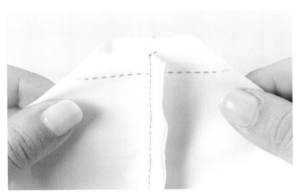

3 まちをつまんで、でき上がり線を合わせる。

4 縫い代を片側に倒し、まち針でとめる。底と脇の縫い目、でき上がり線を合わせて打つこと。

5 でき上がり線を縫う。

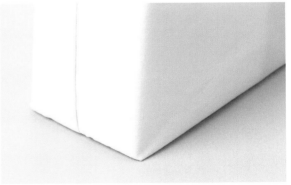

6 表に返す。

別布で作るまち・角

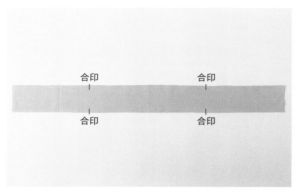

1 別布のまちを裁つ。まち布1枚を本体布2枚に縫い合わせる。まち布に合印をつける。

2 本体布の底の角に合わせる位置（合印）で、縫い代に切り込みを入れる。

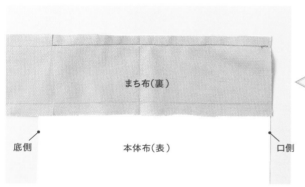

3 まち布と本体布を中表に合わせて、脇を口側から縫う。1辺ずつまち針でとめ、まち布側を見ながら縫う。

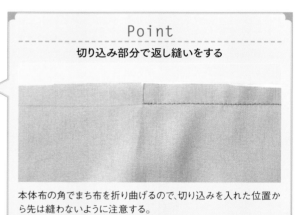

Point

切り込み部分で返し縫いをする

本体布の角でまち布を折り曲げるので、切り込みを入れた位置から先は縫わないように注意する。

4 まち布を本体布の底に合わせ、まち針でとめる。切り込みを入れた位置で直角に折り曲げる。

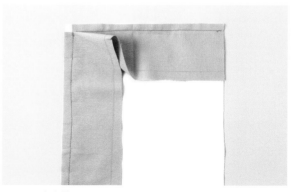

5 底を縫ったところ。

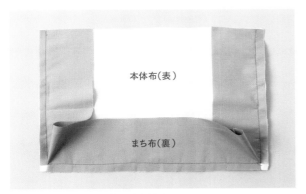

6 同様にもう一方の脇を縫う。

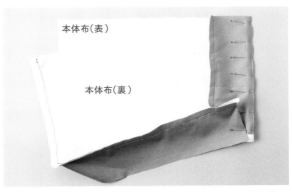

7 もう1枚の本体布とまち布を中表に合わせ、同様に縫い合わせる。

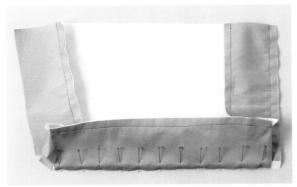

8 脇を縫ったら、次に底、もう一方の脇の順で1辺ずつ縫う。

9 まち布をすべて縫い合わせたところ。

10 表に返し、目打ちを使って角を出す。

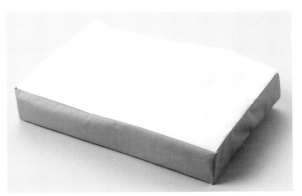

11 別布のまちのでき上がり。まちがひと続きになっているので、「通しまち」ともいう。

別布で作るまち・カーブ

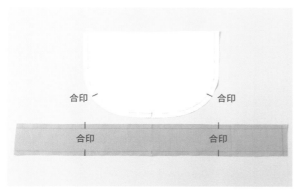

1 別布のまちを裁つ。まち布1枚を本体布2枚に縫い合わせる。合印をそれぞれにつける。

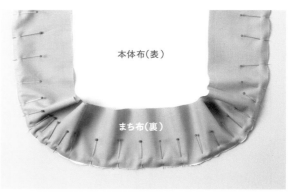

2 まち布と本体布を中表に合わせ、まち針でとめる。

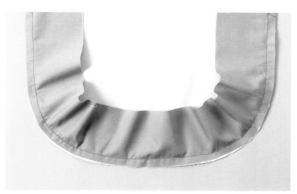

3 まち布側を見ながら縫い合わせる。カーブの縫い方のコツはp.40参照。

4 もう1枚の本体布も同様に、まち布と縫い合わせる。

5 縫い代をはさみで細く切りそろえる。

6 表に返す。別布のまちのでき上がり。

持ち手を作る

四つ折りの持ち手は、縫い代が表にひびかないのでおすすめです。
張りをもたせたい場合は、持ち手幅分の接着芯を貼りましょう。

持ち手幅

1 持ち手幅の4倍で布を裁つ。

2 二つ折りにしてアイロンで押さえる。

3 二つ折りを広げ、両端からそれぞれ中心線に向かって折る。さらに中心線を折り、四つ折りにする。

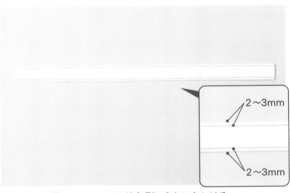

2〜3mm

2〜3mm

4 両端の2〜3mmほど内側にミシンをかける。

市販の持ち手

市販の持ち手素材と組み合わせても、デザインの幅が広がります。

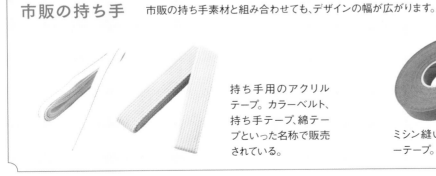

持ち手用のアクリルテープ。カラーベルト、持ち手テープ、綿テープといった名称で販売されている。

ミシン縫いができるフェイクレザーテープ。

持ち手をつける

一枚仕立てのバッグに持ち手をつける方法を紹介します。
裏袋をつける二枚仕立てのバッグについては
p.87を参照してください。

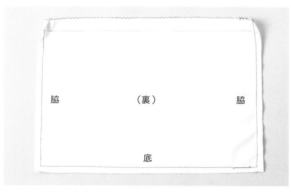

1　2枚を中表にして脇と底を縫う。口側の裁ち端はジグザグミシンで始末する。

2　口側の縫い代をでき上がり線で折る。

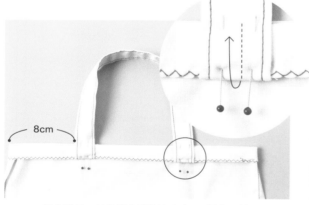

3　持ち手のつけ位置を確認する（この場合は端から8cm位置）。持ち手の端を縫い代に差し込んで折り上げ、まち針でとめる。

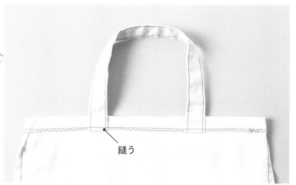

4　持ち手と一緒に口側を1周縫う（ジグザグミシンのすぐ上）。持ち手が曲がらないよう気をつけて縫う。

5　表に返す。

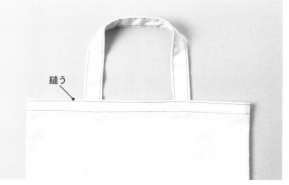

6　持ち手をつけた部分を補強するため、バッグの口に端ミシンをかける。

裏袋をつける

裏袋がついている二枚仕立てのバッグでは、
裏袋のつけ方によって持ち手をつける順番などが違います。
主な方法を紹介します。

✛ 表袋と裏袋を外表に重ねる

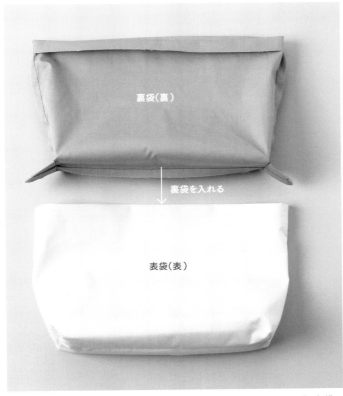

裏袋（裏）

裏袋を入れる

表袋（表）

1 バッグの表袋（表）に裏袋（裏）を入れ、外表に重ねる。表袋、裏袋とも脇と底を縫い、まちを縫って、口側の縫い代を折ったところ。

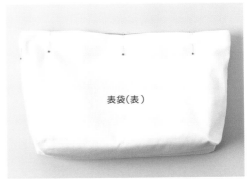

表袋（表）

2 バッグの口側にまち針を打つ。

裏袋（表）

3 持ち手のつけ位置に持ち手を挟む。

4 持ち手をまち針でとめる。

5 持ち手と一緒に口側の端を表側から1周縫う。持ち手が曲がらないよう気をつけて縫う。

表袋、裏袋、どちらを外側にしてもまったく同じなので、リバーシブルで使えます。

表袋と裏袋を中表に重ねる（返し口から返す）

1 脇と底、まちを縫って表袋を作る。口側の縫い代に持ち手を中表に重ねて、仮どめする。

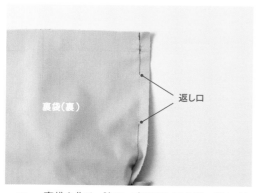

2 裏袋を作る。脇の一方に返し口を縫い残しておく。

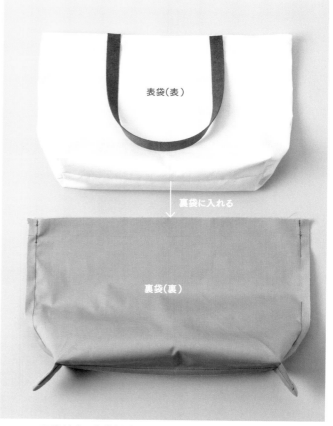

3 裏袋（裏）に表袋（表）を入れ、中表に重ねる。

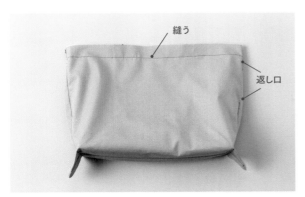

縫う

返し口

4　バッグの口側にまち針を打ち、1周縫う。

5　裏袋の返し口から表袋を引き出す。

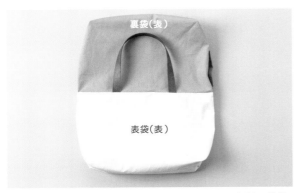

裏袋（表）

表袋（表）

6　表に返したところ。表袋と裏袋がどちらも表側の状態。返し口の始末をする（p.49 参照）。

7　裏袋を表袋の中に入れて整える。この作り方は、バッグの表にミシンのステッチを出さずに仕上げられる。

持ち手の補強をする場合は……

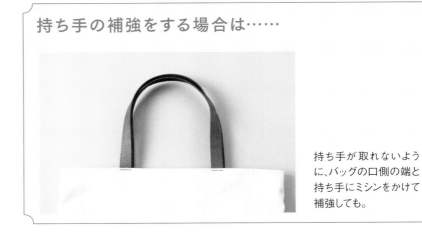

持ち手が取れないように、バッグの口側の端と持ち手にミシンをかけて補強しても。

持ち手つけと同時に袋を縫う

1 表袋布、裏袋布、持ち手を用意。

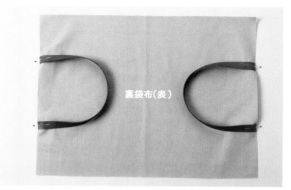

2 裏袋布(表)に持ち手をまち針でとめる。表裏がある持ち手を使う場合は、持ち手と裏袋布が中表になるようにする。

3 ❷の裏袋布に表袋布を中表に重ね、口側をそれぞれまち針でとめる。持ち手がずれないよう注意。

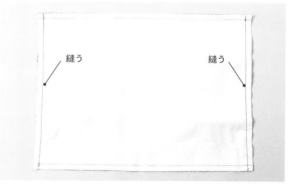

4 口側をそれぞれ縫う。

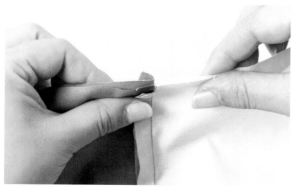

5 表袋布と裏袋布の底を持って左右に広げるようにし、表袋布同士、裏袋布同士で合わせる。

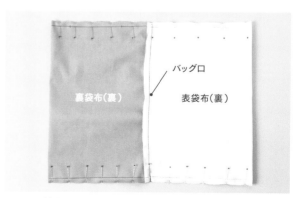

6 脇をそれぞれまち針でとめる。

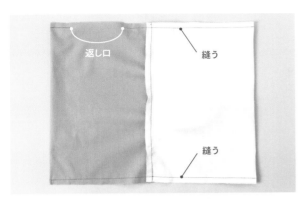

7 裏袋布のほうに返し口を残し、脇を縫う。

8 裏袋の返し口から表袋を引き出す。

9 表に返したところ。表袋と裏袋がどちらも表側の状態。返し口の始末をする（p.49参照）。

10 裏袋を表袋の中に入れて整える。この作り方は、バッグの表にミシンのステッチを出さずに仕上げられる。

持ち手を外側につける場合は……

四角く縫いとめる。Zなどでも。

四角の中にもステッチをして強度を高める。糸の色を変えてアクセントにしても。

バッグの外側に持ち手をつけるときは、このような縫い方で。袋布に挟み込まないので、取れてしまわないように、しっかりと縫いつけます。

ファスナーをつける

ファスナーつけのポイントはスライダーの位置。
専用の押さえ金がなくてもつけられる
スタンダードファスナーのつけ方を覚えておきましょう。

[ファスナーの構造]

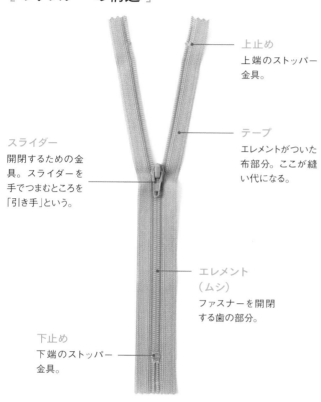

上止め
上端のストッパー
金具。

テープ
エレメントがついた
布部分。ここが縫
い代になる。

スライダー
開閉するための金
具。スライダーを
手でつまむところを
「引き手」という。

エレメント
（ムシ）
ファスナーを開閉
する歯の部分。

下止め
下端のストッパー
金具。

★ファスナーの長さは、上止めから下止めまでの長さで表示されている。

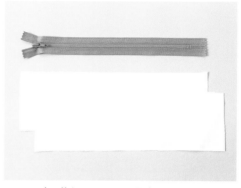

1 布2枚とファスナーを用意する。

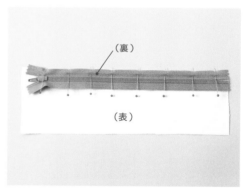

（裏）

（表）

2 布1枚とファスナーを中表に合わせ、まち針
でとめる。

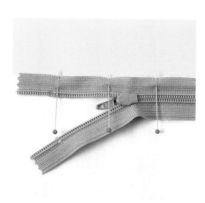

3 縫う前にファスナーのスライダー
を少し引いて、開けておく。

4 ファスナーの片端を縫う。まず、
引いたスライダーの手前まで。

5 いったんミシンを止め、針を刺し
たまま押さえ金を上げてスライ
ダーを引き上げる。

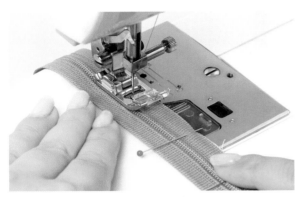

6　押さえ金を下げ、残りを端まで縫う。

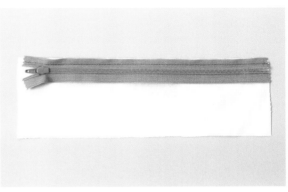

7　片側を縫ったところ。

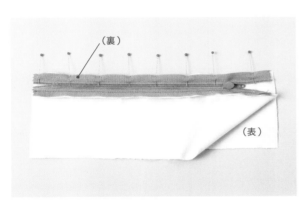

（裏）

（表）

8　ファスナーのもう一方の端を残りの布と中表に合わせ、まち針でとめる。

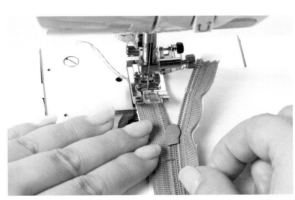

9　❸〜❻と同様に縫い進める。

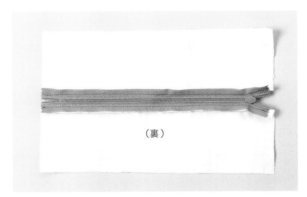

（裏）

10　ファスナーをつけたところ（裏）。

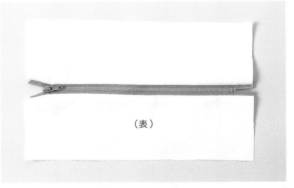

（表）

11　縫い上がり（表）。このように縫うと、ミシンのステッチが表に出ない。

ポケットをつける

ポケットを布の上に縫いつける一枚仕立てと、
バッグの内側などに袋状にしてつける二枚仕立ての方法を紹介します。
バッグだけでなく、エプロンや洋服などにも使えます。

┼ 直接縫いつける

1 ポケット布の裁ち端すべてにジグザグミシンをかける。

2 布を裏にして脇、底の順で縫い代を折り、ポケット口の縫い代を折ってまち針でとめる。

3 ポケット口の布端側（ジグザグミシンのすぐ上）を縫う。

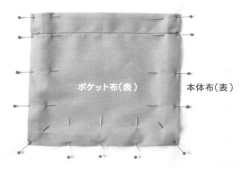

ポケット布（表） 本体布（表）

4 ポケット布を表にし、本体布の表にまち針でとめる。

5 両脇と底の端から1〜2mm内側を縫う。ポケットのでき上がり。

Point 縫い始めと縫い終わり

ポケット口の両端の縫い方は、ストレートに縫う場合と
三角に縫う場合があります。

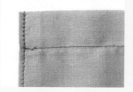

ストレートに縫ったもの。返し縫いは重ねる。

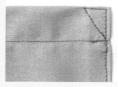

三角に縫ったもの。縫い幅を大きくして引っぱり強度を高める。

袋状に仕立てる

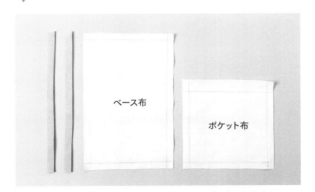

1 ベース布、ポケット布、バイアステープ2本※を用意。
※バイアス裁ちでなくても、テープ状の布を四つ折りにしたものでOK。

2 ポケット布の口側の裁ち端にジグザグミシンをかけ、縫い
代を折って布端側（ジグザグミシンのすぐ上）を縫う。

3 ベース布（裏）にポケット布（裏）を重ね、底を縫う。底の
縫い代の端に2枚一緒にジグザグミシンをかける。

4 表に返す。

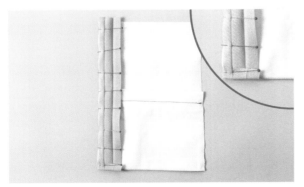

5 バイアステープでそれぞれ脇をくるみ、パイピングをする
（p.50参照）。テープの底部分の端は5mmほど折り込
んでおく。

6 両脇をパイピングする。袋状のポケットのでき上がり。

人気の特殊生地の扱い方

ビニールコーティングされたラミネート地やフェイクレザーなどは人気の素材のひとつですが、扱い方や縫い方にコツがあります。ミシン縫いに慣れたら、トライしてみましょう。

[布を押さえたいとき]

ラミネート地。裁ち端の処理が必要なく、水濡れにも強い。

フェイクレザー。裁ち端の処理が必要ない。

▼

クリップで押さえる

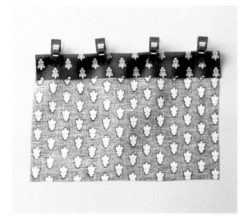

まち針を打つと穴があいてしまうので、クリップなどで仮どめする。縫い代など穴があいても問題のない箇所には、まち針を打ってもOK。

[スムーズに布送りをしたいとき]

つやありのラミネート地。ペタペタとして押さえ金にくっつきやすく、布が送りにくい。

つやなしのラミネート地。こちらは普通地と同様に縫うことができる。

▼

すべりをよくする道具を活用

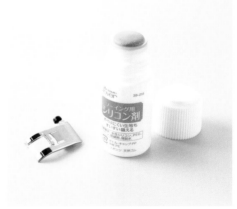

針や押さえ金にシリコン剤（写真）を塗ったり、布にベビーパウダーをふりかけたりしてすべりをよくする。

Part4
ミシンで
作ってみよう

本書で紹介したミシンテクニックを参考にして
作品を作ってみましょう。
毎日使える日用雑貨から、おしゃれ小物やスカートまで
お気に入りを見つけてください。

ティーマット&コースター

ソーイング初心者さんにおすすめの四角いマットとコースター。
直線や角を縫う、返し口から表に返すなど、ミシン縫いの基本で作れます。
色や柄の違う布を縫いつないで、柄×柄を楽しむデザイン。

🕐 縫い時間　各5分

［ ティーマット＆コースター ］

［仕上がりサイズ］
❖ ティーマット　横30×縦24cm
❖ コースター　横12×縦12cm

［材料］
❖ ティーマット
布（シーチング）……a布、b布／各17×26cm、c布／32×26cm

❖ コースター
布（シーチング）……a布、b布／各14×8cm、c布／14×14cm

［製図］

ティーマット

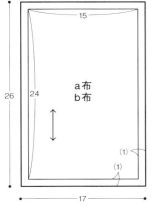
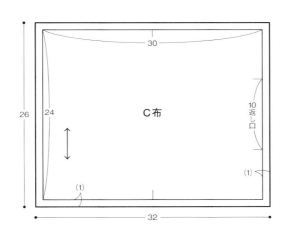

単位はcm
（ ）内は縫い代

15
26
24
a布
b布
(1)
(1)
17

30
26
24
C布
10
返し口
(1)
(1)
32

コースター

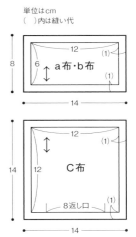

単位はcm
（ ）内は縫い代

12
8
6
a布・b布
(1)
(1)
14

12
14
12
C布
8返し口
(1)
(1)
14

手順

▶ ティーマット

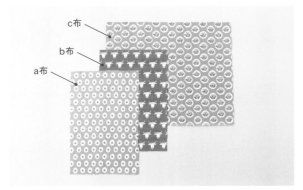

c布
b布
a布

縫う

1 a〜c布を裁つ。

2 a布とb布を中表にし、でき上がり線を布端から布端まで縫う。

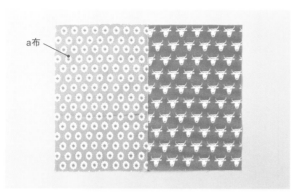

a布

3 縫い代をa布側に倒す。倒した縫い代を押さえるように、
押さえミシンを表側からかける。

おさらい
→ ①縫い代を片側に倒す（p.44）

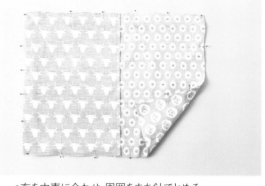

4 c布を中表に合わせ、周囲をまち針でとめる。

返し口

5 返し口を残し、でき上がり線をぐるりと縫う。

おさらい
→ 返し口から表に返す（p.49）

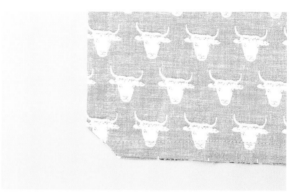

6 四隅の縫い代の角を切り落とす。

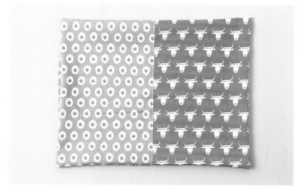

7 返し口から表に返す。

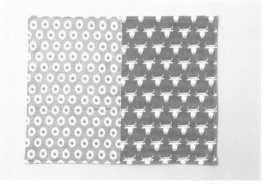

8 アイロンで整え、周囲に端ミシンをかけて返し口をとじる。

▶コースター

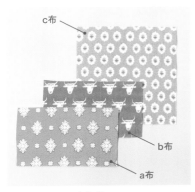

c布

b布

a布

1 a〜c布を裁つ。

2 ティーマット❷〜❺と同様に、a布とb布を縫い合わせ、c布と中表に縫う。

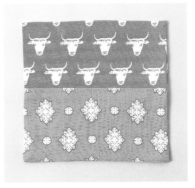

3 ティーマット❻〜❽と同様に、表に返し、周囲に端ミシンをかけて返し口をとじる。

Arrange

ピンクッション

返し口から綿を詰め、返し口をまつれば、ピンクッションのでき上がり。コースターと同じ寸法で裁った布を使っています。

コースターと同様に返し口を残して縫い合わせ、表に返して返し口から綿を詰める。

綿をしっかり詰めたら、返し口を手縫いでまつる（p.49参照）。

ティーコゼー＆ポットマット

キルティング地は厚くて縫いづらそうに見えますが、
普通地と同じ糸と針で縫うことができます。
カーブの縫い方のコツを確認したら、ぜひトライしてみて。

🕐 縫い時間　ティーコゼー 20分、ポットマット 10分

［ ティーコゼー＆ポットマット ］

［仕上がりサイズ］
❀ **ティーコゼー**　幅34×高さ22cm
❀ **ポットマット**　横18×縦14cm

［材料］
❀ **ティーコゼー**
表布（キルティング）……40×50cm
裏布（ブロード）……40×50cm
フェイクレザーテープ（30mm幅）……16cm

❀ **ポットマット**
表布（キルティング）……20×20cm
裏布（ブロード）……20×20cm
革ひも（2mm幅）……14cm

［実物大型紙］

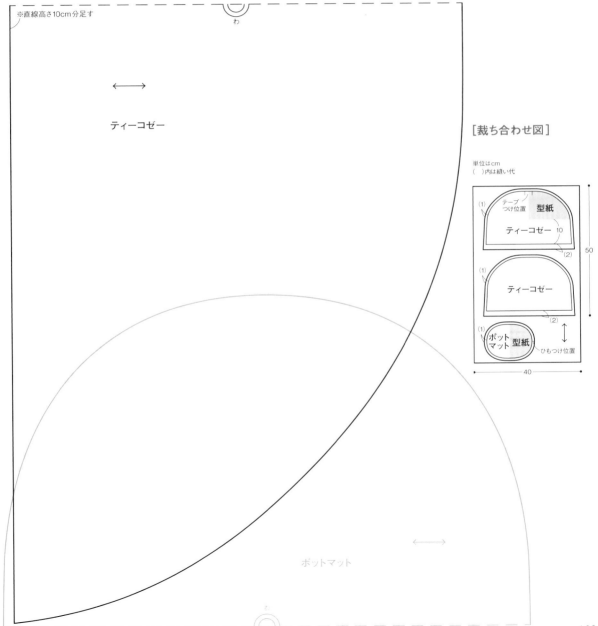

※直線高さ10cm分足す

わ

ティーコゼー

ポットマット

［裁ち合わせ図］

単位はcm
（ ）内は縫い代

型紙
ティーコゼー　10
テープ
つけ位置
(1)
(2)

ティーコゼー
(1)
(2)

ポット
マット　型紙
(1)
ひもつけ位置

50

40

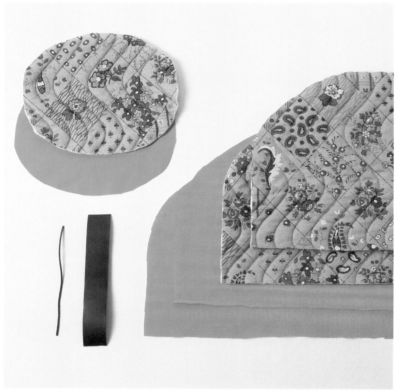

1 布を裁ち、フェイクレザーテープ、革ひもを用意。ティーコゼーは表布、裏布各2枚。ポットマットは表布、裏布各1枚で作る。

2 ティーコゼーを作る。表布（表）の中央に、二つ折りにしたフェイクレザーテープをまち針でとめる。

3 表布2枚を中表にし、底以外のまわりにまち針を打つ。

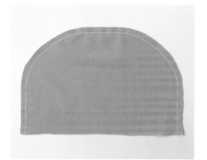

4 でき上がり線に沿って、布端から布端まで縫い合わせる。

おさらい
→ カーブを縫う（p.40）

5 裏布2枚を中表にし、表布と同様に、底以外のまわりを縫い合わせる。

6 表布と裏布、どちらも縫い代を細く（5mmほど）切りそろえる。

7 表布と裏布を中表に重ね、底側をまち針でとめる。

8 返し口を10cmほど残して底部分をぐるりと縫う。

9 返し口から表に返す。

10 裏布が表から見えないように、底側の表布を裏側に1mmほど入れ込んでアイロンをかける。表布側から端ミシンを底から5mmの位置でかけて返し口をとじる。

Point

上糸と下糸の色を布に合わせて変える

表布と裏布が似た色でないときは、上糸と下糸の色を変えて縫うと、ステッチが目立たず仕上がりがきれい。

11 ポットマットを作る。表布の中央に、つまみ用の革ひもをループ状にしてまち針でとめる。

12 表布と裏布を中表にし、返し口を7cmほど残して縫う。

返し口

13 返し口から表に返す。

14 周囲に端ミシンをかけて返し口をとじる。ティーコゼーと同様に、上糸と下糸の色を変えるとよい。

巾着袋

袋物の代表格、巾着袋を作ってみましょう。
ひも通し口の位置を下げて縫い、絞ったときに袋の口がフリル状になるデザインに。
ひも通し口の縫い方を覚えれば、
小物入れから着替え袋まで、サイズを変えるアレンジも簡単です。

縫い時間　20分

巾着袋

[仕上がりサイズ]
横15×縦24cm

[材料]
袋布（ローン）……34×32cm
ひも布（ローン）……70×6cm

[製図]

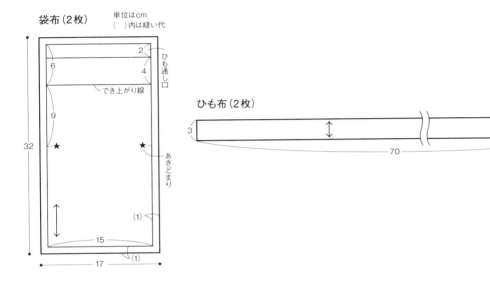

袋布（2枚）　単位はcm　（ ）内は縫い代

2
6　　4　ひも通し口
でき上がり線
9
★　　★
あきどまり
32
（1）
15　　（1）
17

ひも布（2枚）
3　　↕　　70

手順

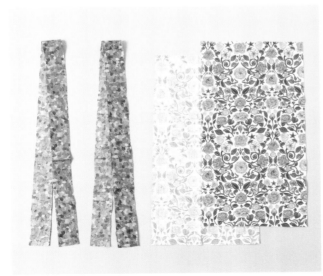

1 袋布、ひも布を各2枚裁つ。

2 ひもを作る。ひも布を中表に二つ折りにし、裁ち端から1mmくらいの位置を縫う。

おさらい ➡ ひもの作り方（p.78）

3 ループ返しで表に返す。同様に、もう1本のひもも作る。

4 2枚の布を中表にし、まち針でとめる。

おさらい
→ ひも通し口を作る (p.76)

5 あきどまりまで脇と底を縫い、あきどまり位置の縫い代に切り込みを入れる。

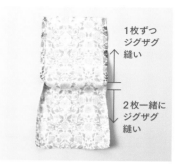

6 袋部分(脇と底)の裁ち端に2枚一緒にジグザグミシンをかける。通し口(あきどまりから上)の裁ち端は1枚ずつジグザグミシンをかけ、本体裏側に折る。

7 通し口の縫い代に、コの字にステッチをかける。口側の上端に1枚ずつジグザグミシンをかける。

8 でき上がり線で二つ折りにし、まち針でとめる。

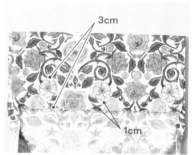

9 裁ち端から1cmと3cmのところを、それぞれ縫う。2cm幅の通し口のでき上がり。

10 両面とも2本のステッチをかけて、通し口を作ったところ。

11 左右からそれぞれひもを通す。

おさらい → ひもを通す (p.77)

クラッチ & ポーチ

直線縫いができれば、ファスナーポーチが作れます。
デニム地なら、接着芯を貼らなくても OK。
帆布やキャンバス地でもいいでしょう。
まちをつけたキャラメルポーチへのアレンジを p.113 で紹介しています。

🕐 縫い時間　各20分

クラッチ＆ポーチ

[仕上がりサイズ]
❖ クラッチ　横30×縦20cm
❖ ポーチ　横20×縦15cm

[材料]
❖ **クラッチ**
布（デニム）……32×42cm
ファスナー……30cm
ニコイル……直径8〜10mmのものを1個
リボン……お好みのもの

❖ **ポーチ**
布（デニム）……22×32cm
ファスナー……20cm
ニコイル……直径8〜10mmのものを1個
リボン……お好みのもの

[製図]

単位はcm
（　）内は縫い代

クラッチ

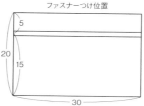

ファスナーつけ位置

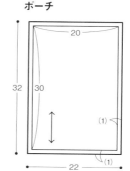

ポーチ

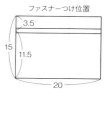

ファスナーつけ位置

手順

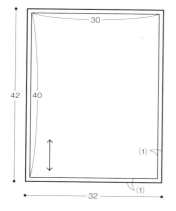

1 布を裁ち、ファスナー、リボンを用意。

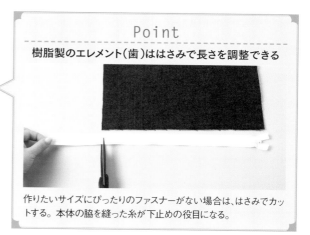

Point
樹脂製のエレメント（歯）ははさみで長さを調整できる

作りたいサイズにぴったりのファスナーがない場合は、はさみでカットする。本体の脇を縫った糸が下止めの役目になる。

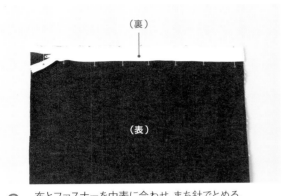

2 布とファスナーを中表に合わせ、まち針でとめる。

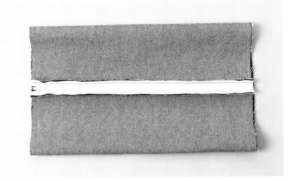

3 ファスナーの片側を布に縫いつける。

おさらい → ファスナーをつける ③～⑥ （p.92～93）

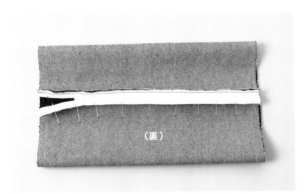

4 もう一方の布端にファスナーのもう片側を中表に合わせ、まち針でとめる。

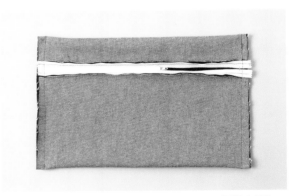

5 ③と同様にファスナーを布に縫いつける。縫うときは縫い線が端になるように整えて、縫い代以外の布を巻き込まないように注意する。

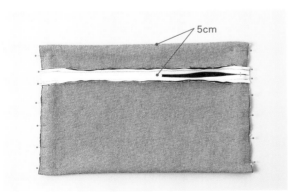

6 ファスナーの位置を決め（クラッチは上から5cm、ポーチは3.5cm）、まち針で脇をとめる。このとき、ファスナーの上止めが右になるように置く。

7 ファスナーを半分くらい開けておいてから、両脇を縫う。

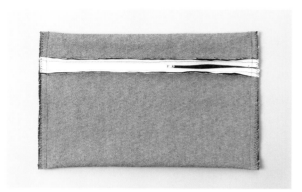

8 両脇の端に2枚一緒にジグザグミシンをかける。

9 ファスナーの開き口から表に返す。

10 スライダーの引き手にニコイルをつける。

11 ニコイルにリボンを通し、2cm折り返して端を縫う。

12 でき上がり。ポーチも同様の手順で作る。

細いリボンなら、スライダーのカンに直接結んでもよい。

⌐ Arrange ⌐

キャラメルポーチ

まちのついたポーチも、このクラッチ＆ポーチの応用で作れます。ポーチと同じ寸法で裁った布を使っています。

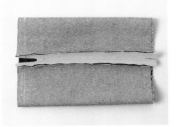

1 クラッチの手順❷〜❺（p.111）と同様に作る。ファスナーが中央にくるように整える。

2 両端のわを内側に折り込む。片端を折り込んだところ。

3 両端とも折り込んで、まち針で脇をとめる。

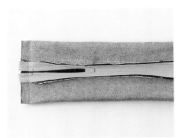

4 ファスナーを半分くらい開けておいてから、脇を縫う。

5 余分なファスナーをはさみで切り、両脇の端にジグザグミシンをかける。

6 ファスナーの開き口から表に返す。

リネンのエコバッグ

軽くて丈夫な一枚仕立てのリネンバッグ。
バッグ口が少しすぼまったかわいいフォルムです。
タックをとめたチロリアンテープがワンポイントに。

🕐 縫い時間　20分

リネンのエコバッグ

［仕上がりサイズ］

横40×縦40cm（持ち手含まず）
※バッグ口の幅は約32cm

［材料］

布（リネン）……70×90cm
チロリアンテープ（25mm幅）……26cm

［製図］

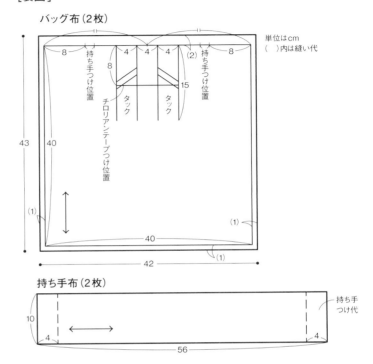

バッグ布（2枚）

単位はcm
（　）内は縫い代

8　持ち手つけ位置　4　4　4　（2）　持ち手つけ位置　8

8　チロリアンテープつけ位置　タック　タック　15

43　40

（1）

40

42

（1）

（1）

持ち手布（2枚）

持ち手つけ代

10　4　56　4

手順

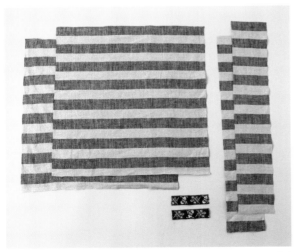

1 バッグ布、持ち手布を各2枚裁つ。チロリアンテープは13cm×2本用意する。

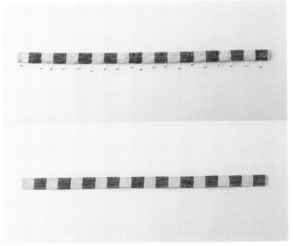

2 持ち手布で四つ折りの持ち手を2本作る。

おさらい ➔ 持ち手を作る（p.85）

3 バッグ布のタックを折り、まち針でとめる。

おさらい
→ タック・プリーツを縫う(p.62〜63)

4 上端から8cmの位置にチロリアンテープをまち針でとめる。両端をそれぞれ1cm折り込み、タックの中心に仮どめする。

5 チロリアンテープの周囲に端ミシンをかけて縫いつける。もう1枚のバッグ布も同様にタックを折り、チロリアンテープを縫いつける。

6 バッグ布2枚を中表にし、両脇と底をまち針でとめる。

7 両脇と底を縫い、縫い代の端に2枚一緒にジグザグミシンをかける。脇の縫い代を片側に倒し、バッグ口の裁ち端に1枚ずつジグザグミシンをかける。

8 バッグ口をでき上がり線で二つ折りにする。このとき、折り返し部分もタックの折り目に沿うように折る。

9 持ち手の端を縫い代に差し込んで折り上げ、口側を1周縫う。

おさらい
→ 持ち手をつける❸〜❹(p.86)

10 表に返し、持ち手と重なるバッグ口のきわにミシンをかける。

11 でき上がり。

ティペット

丸首のシャツやセーターに合わせたい、つけ衿。
ファッション小物でも高級感のあるアイテムですが、
作り方はいたってシンプル。
レース生地で作ってみるのも、おすすめです。

🕐 縫い時間　10分

ティペット

[仕上がりサイズ]
幅7×首まわり約45cm

[材料]
表布(ウール)……50×27cm
裏布(エアリーコット)……50×27cm
革ひも(2mm幅)……80cm

[裁ち合わせ図]

単位はcm
(　)内は縫い代

27

50

(1)

型紙

わ

[実物大型紙]

ひもつけ位置

ティペット

わ

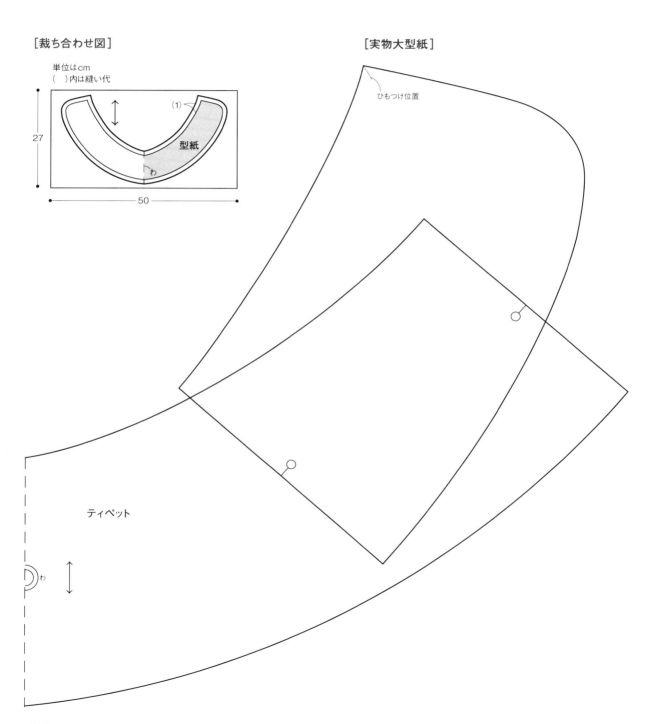

手順

1 表布、裏布を裁つ。革ひもは40cm×2本用意する。

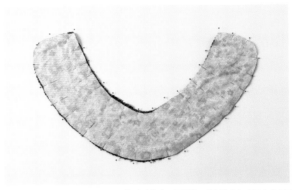

2 革ひもをそれぞれ表布（表）の両端に仮どめし、表布と裏布を中表にしてまち針でとめる。

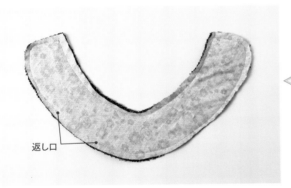

返し口

3 返し口を7cmほど残して、まわりを縫う。

Point

革ひもも一緒に縫いとめる

革ひもが布の角に斜めにとまるように縫う。

4 内側のカーブの両角を切り落とし、縫い代に切り込みを入れる。

おさらい → カーブの見返し❾〜⓫（p.69〜70）

5 返し口から表に返し、返し口をまつる。

切り替え
ギャザースカート

直線縫いだけで作るスカートは、
布の準備も四角く裁つだけ。
ヒップラインに切り替えを入れたデザインで、
ほどよいギャザーのボリューム感が
ありながらもすっきり見えます。

🕐 縫い時間　30分

切り替えギャザースカート

[仕上がりサイズ]
スカート丈　60cm

[材料]
布（ローン）……110×120cm（つけ布／110×30cm、ギャザー布／110×90cm）
ゴム（5〜20mm幅）……80cm（ウエストサイズに合わせて調整する）

[製図]

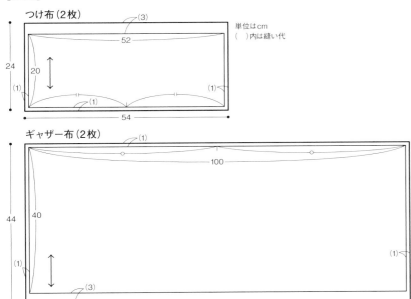

つけ布（2枚）
単位はcm
（　）内は縫い代
52
(3)
24
20
(1)
(1)
(1)
54

ギャザー布（2枚）
(1)
100
44
40
(1)
(1)
(3)
102

手順

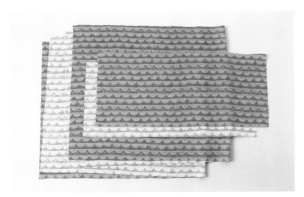

1 つけ布、ギャザー布を各2枚裁つ。

2 ギャザー布2枚の縫い代にそれぞれ粗ミシンをかけ、ギャザーを寄せる。

おさらい → ギャザーを縫う（p.58〜59）

3 つけ布の幅に合わせてギャザー布のギャザーを均等に
整える。

4 つけ布とギャザー布を中表に合わせ、まち針でとめる。
縫い代にしつけをかけてから縫い合わせる。

5 縫ったところ(表)。同様にもう1枚作る。

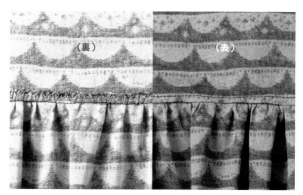

6 ❹の縫い代の端に2枚一緒にジグザグミシンをかけ、つ
け布側に倒す。表から押さえミシンをかける。

おさらい ➡ ①縫い代を片側に倒す (p.44)

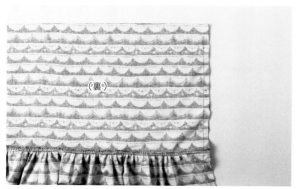

7 2枚を中表にし、片方の脇をウエストのでき上がり線ま
で縫う。

おさらい ➡ ゴム通し口を作る (p.66)

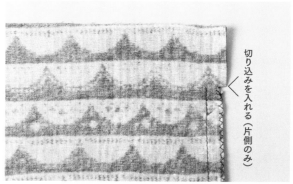

8 縫いどまりの位置の縫い代に、切り込みを縫い線まで入
れる。切り込みは片側のみ入れる。縫いどまりの下の布
端に2枚一緒にジグザグミシンをかける。もう一方の脇
は端から端まで縫い、布端にジグザグミシンをかける。

9 ゴム通し口の縫い代をそれぞれ折り、ウエスト側の端に1枚ずつジグザグミシンをかける。

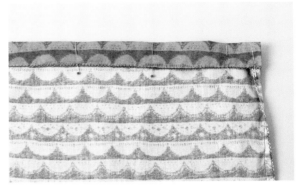

10 脇の縫い代を倒す。ウエスト側をでき上がり線で二つ折りにし、まち針でとめる。

11 ジグザグミシンの上を1周縫う。ゴム通し口のでき上がり。

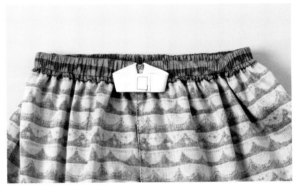

12 ゴムを通す。両端を1〜2cm重ねて縫いとめ、ゴム通し口の中に収める。

おさらい ➡ ゴムを通す（p.67）

13 裾を始末する。布端にジグザグミシンをかけ、二つ折りにしてアイロンで押さえる。まち針でとめてからジグザグミシンの下を1周縫う。

14 でき上がり。

製図や型紙について

市販の型紙を使ったり、ソーイングの本に掲載されている製図から型紙を作ったりする場合、知っておきたいのがこちら。型紙の記号やパーツの名称について確認しておきましょう。

型紙の記号と意味

■でき上がり線

でき上がりの位置を示す線。

■折り線

布を折る位置を示す線。

■合印

2枚の布を合わせるための印。

■わ

布を折って「わ」にする位置を示す線。

■布目線

布のたて方向を示す線。型紙を置く向きを示す線でもある。

■見返し線

見返しの位置を示す線。

パーツの名称

■上着（上衣）

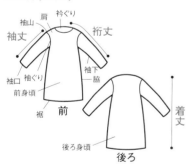

■スカート

■パンツ

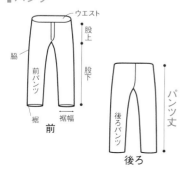

製図と裁ち合わせ図

〈製図〉

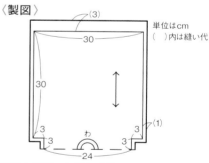

単位はcm
（ ）内は縫い代

裁断や縫製に必要な寸法が記された図のこと。

〈裁ち合わせ図〉

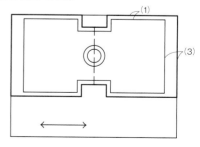

型紙の配置（布に置く位置）を示した図のこと。

ソーイング用語解説

《あ》

合印 ………… 2枚の布を合わせるとき、ずれないように布につける印。→p.124

あきどまり ………… あき部分の終わり。「あきどまりまで縫う」とき、返し縫いをする。

足つきボタン ………… ボタンの裏側だけに糸を通す穴がついているボタン。

厚地 ………… ジーンズ程度の厚さの布や、織り糸が太かったり起毛していたりして厚みのある布。→p.12、23

当て布 ………… アイロンをかけるとき、布を傷めたりテカリが出たりしないよう、直接布に当たらないように重ねる布。

粗ミシン ………… 粗い縫い目でミシンをかけること。→p.58

糸切りばさみ ………… 糸切りや細かい作業のための小さなはさみ。→p.12、13

糸調子 ………… ミシンの上糸と下糸の強さのバランスのこと。→p.20

後ろ中心 ………… 服の後ろ側の中心のこと。型紙で「BC」と記されていることも。

後ろ身頃 ………… 「身頃」へ。

薄地 ………… 薄手のハンカチ程度の厚さの布のこと。→p.12、22

上糸 ………… ミシンの上側の糸。針に通すほうの糸。→p.17

衿ぐり ………… 首まわりのあき。身頃の衿部分のくり。→p.124

押さえミシン ………… 縫い合わせた布の縫い代や浮きを押さえるためにミシンをかけること。→p.45

折り線 ………… 布を折る位置を示す線。→p.124

折り山 ………… 折った布の「わ」になった側。

《か》

返し口 ………… 中表に2枚の布を縫うとき、表に返すためにあけておく部分。→p.49

返し縫い ………… 縫い目の補強のために往復して縫うこと。縫い始めと縫い終わりに行う。→p.37

型紙 ………… 仕上がり寸法や縫い代などが記された製図の紙。→p.30〜32、124

片倒し ………… 縫い代を2枚一緒に片側に倒すこと。→p.44

柄合わせ ………… 縫い合わせたときに模様がつながるように裁断すること。

完全三つ折り ………… 縫い代の始末のひとつで、縫い代を均等な幅で2回折る三つ折りのこと。→p.42

ギャザー ………… 布を縫い縮めてひだを寄せること。→p.58〜59

コの字とじ ………… まつり縫いのひとつで、縫い合わせた糸が見えないようにコの字形にとじること。→p.49

《さ》

裁断 ………… 布を裁つこと。→p.29

直裁ち ………… 型紙を作らずに布に直接製図して裁断すること。→p.28

ジグザグ縫い ………… ミシンの模様縫いのひとつで、主に布端の始末に使う。ジグザグミシンともいう。→p.41

下糸 ………… ミシンの下側の糸。ボビンに巻いてセットする。→p.15〜16、19

しつけ ………… ミシンで本縫いする前に、布がずれないように仮縫いをすること。→p.34

しつけ糸 ……… しつけ用の糸。→p.34

実物大型紙 ……… 作品と同じ寸法の型紙。

地直し ……… 印つけや裁断の前に布地のゆがみを整えること。→p.27

地の目 ……… 「布目」へ。

印つけ ……… 型紙や布に合印やでき上がり線を書くこと。→p.28～32

垂直釜 ……… ミシンの下糸をセットするところ。ボビンをボビンケースに入れ、垂直方向にセットする。→p.9

水平釜 ……… ミシンの下糸をセットするところ。ボビンを直接水平にセットする。→p.9

ステッチ ……… 表から見える縫い目。丈夫にしたいところなどに施す飾り縫いや刺しゅうの縫い目について指すこともある。

スラッシュあき ……… 切り込みを入れたあきのこと。→p.72～73

製図 ……… 寸法や縫い方の情報が示された図。またその図を作図すること。→p.124

正バイアス ……… 布目に対して斜め45°の角度のこと。→p.26

接着芯 ……… 布に裏打ちする芯地。片面、または両面に接着剤がついておりアイロンで布に貼る。→p.25

袖ぐり ……… 袖まわりのあき。→p.124

外表 ……… 2枚の布の裏同士を内側にして合わせること。→p.26

《た》

ダーツ ……… 立体的にするため、布をつまんで縫うこと。→p.60～61

裁ち合わせ図 ……… 布幅に合わせて型紙を配置した図。→p.124

裁ち切り線 ……… でき上がり線に縫い代を加えた線。布を裁つときの線。

裁ちばさみ ……… 布を裁つためのはさみ。→p.13

裁ち端 ……… 裁断した布の切り端のこと。裁ち目ともいう。→p.41

タック ……… 布をたたんで作るひだのこと。→p.62～63

たて地 ……… 布のたて糸の方向のこと。→p.26

試し縫い ……… 本縫いの前に、使う布のはぎれで縫ってみて縫い目の状態を確認すること。→p.20

チャコペーパー ……… 型紙を布に写すときに使う複写紙。→p.14

チャコペン ……… 布への印つけに使うペン。→p.13

テープメーカー ……… バイアステープの両端に折り目をつけるための道具。→p.54～55

でき上がり線 ……… でき上がりの位置を示す線。→p.124

通し口 ……… ひもやゴムを通すための口。→p.66～67、76～77

共布 ……… 表布と同じ布。

《な》

中表 ……… 2枚の布の表同士を内側にして合わせること。→p.26

縫い代 ……… 縫い目（多くはでき上がり線）から布端までの幅のこと。

縫い代の始末 ……… 裁ち端がほつれないようにすること。→p.41～45

縫い代を倒す ……… 「片倒し」へ。

縫い代を割る ……… 縫い合わせた布の縫い代を開いて平らにすること。→p.45

縫いどまり ……… 縫い目を止める位置のこと。

縫い目 ……… 布を縫ったときの針目、糸目のこと。→p.20

布幅 ……… 反物の布の端から端までの幅。→p.26

布目 ……… 布のたて（径）、よこ（緯）の織り目のこと。地の目ともいう。→p.26

布目線 ……… 布のたて方向を示した線。→p.26、124

布目方向 ……… たて地のこと。

布をはぐ ……… 布同士を縫い合わせること。

添田有美（そえだ・ゆみ）

1973年、神奈川県横浜市出身。共立女子大学家政学部被服学科卒業。2006年、代官山の手芸店「Merceria Pulcina（メルチェリア プルチーナ）」オープン。現在はWebShopでの営業とアトリエで初心者を対象としたソーイングレッスンを開催。「多くの方に手芸の楽しさを知ってもらう」ことをモットーに活動している。『まっすぐ切って、まっすぐ縫うだけの服』（西東社）、『切るのも縫うのもカンタン！ なのにおしゃれなワンピース』（河出書房新社）など著書も多数。
https://pulcina.thebase.in
Instagram：@merceria_pulcina

〔協力〕

●ミシン
株式会社ハッピージャパン（シンガーミシン）
http://singer.happyjpn.com

●ソーインググッズ
クロバー株式会社
お客様係　tel 06-6978-2277
https://clover.co.jp

●ミシン糸（シャッペスパン）
株式会社フジックス
tel 075-463-8112
https://www.fjx.co.jp

〔撮影協力〕
湯山聡人、滝井治美

〔小物協力〕
UTUWA　Tel 03-6447-0070

staff

デザイン＊釜内由紀江、石神奈津子（GRiD CO.,LTD）
プロセス撮影＊中辻渉
作品、表紙撮影＊松永直子
スタイリング＊串尾広枝
イラスト＆製図＊株式会社ウエイド
編集協力＊沼田直子
編集＊村松千絵（Cre-Sea）
DTP＊グレン

新装版　ソーイングがぜんぶわかる！
きほんのミシン　レッスンBOOK

2023年10月3日　第1刷発行

監　　修　　添田有美
発 行 人　　土屋 徹
編 集 人　　滝口勝弘
編集担当　　米本奈生
発 行 所　　株式会社Gakken
　　　　　　〒141-8416
　　　　　　東京都品川区西五反田2-11-8
印 刷 所　　大日本印刷株式会社

ⓒ Gakken

●この本に関する各種お問い合わせ先
本の内容については、下記サイトのお問い合わせフォームよりお願いします。
　https://www.corp-gakken.co.jp/contact/
在庫については　Tel 03-6431-1250（販売部）
不良品（落丁、乱丁）については　Tel 0570-000577
　学研業務センター　〒354-0045 埼玉県入間郡三芳町上富279-1
上記以外のお問い合わせは　Tel 0570-056-710（学研グループ総合案内）

学研グループの書籍・雑誌についての新刊情報・詳細情報は、下記をご覧ください。
学研出版サイト　https://hon.gakken.jp/

※本書は2015年に刊行された『きほんのミシン　レッスンBOOK』の新装版です。
※ミシンを使うときはけがに注意して作品作りを楽しみましょう。